PARS, COURS !

ALEXIS

Catalogage avant publication de Bibliothèque et Archives nationales du Québec et Bibliothèque et Archives Canada

Titre : Alexis / Roxane Jérôme.
Noms : Jérôme, Roxane, 1998- auteur.
Description : Mention de collection: Pars, cours! | Collection Sumo
Identifiants : Canadiana (livre imprimé) 20190013575 | Canadiana (livre numérique) 20190013583 | ISBN 9782896628223 | ISBN 9782896628230 (PDF) | ISBN 9782896628247 (EPUB)
Classification : LCC PS8619.E764 A62 2019 | CDD jC843/.6—dc23

Illustrations : **Manuella Côté**
Direction artistique, infographie : **Jimmy Gagné, Studio C1C4**

C.P. 116, Boucherville
(Québec) J4B 5E6
Tél. : 450 641-2387
Téléc. : 450 655-6092
editionsdemortagne.com

1 2 3 4 5 — 19 — 23 22 21 20 19

Imprimé au Canada
Gouvernement du Québec — Programme de crédit d'impôt pour l'édition de livres — Gestion SODEC.

Membre de l'Association nationale des éditeurs de livres (ANEL)

Dépôt légal : Bibliothèque et Archives Canada, Bibliothèque et Archives nationales du Québec, Bibliothèque nationale de France, 2e trimestre 2019

Roxane Jérôme
illustré par Manuella Côté

PARS, COURS !

ÉDITIONS DE MORTAGNE

Pour mon (encore petit) frère Maxime.

Parce que ça fait sept ans

qu'il « va grandir ».

Hum... Peut-être un jour.

Chapitre 1

Le début de la fin du Monde

Liste des **mauvais coups** à faire durant la sixième année :

- Couper une tresse de **Bernadette**.
- Remplir les toilettes de papier pour les faire déborder.
- Mettre un coussin péteur sur la chaise de madame Geneviève.
- Coller les genoux de Le-nerd sous son pupitre.
- Provoquer une invasion de coquerelles (**OUAAAAACH !**).

J'attends que madame Geneviève, mon enseignante, se tourne vers le tableau pour **lancer** la boulette de papier qui contient ma liste à **Damien**, à l'autre bout de la classe. Oups, elle n'atterrit pas sur le bon pupitre... Mon ami s'en aperçoit en même temps que **Bernadette**, la pire *stooleuse* de l'école. De l'UNIVERS, même !

Au moment où elle ouvre la bouche, **Damien** se met debout et saute. **VITE**, les bras dans les airs ! Il tourne en rond autour de son pupitre et sur lui-même à la fois. Il va être tout étourdi !

— Madame ! **Damien** ne veut pas rester assis !

Bernadette lève la main et l'agite pour se faire remarquer, sans lâcher son aiguille à tricoter. Elle est toujours en train de tricoter ! Des chaussons pour les poussins du groupe de maternelle, un foulard pour le **Chien** de **Rosalie** et, bientôt dans un cinéma près de chez vous, les bobettes de l'écureuil du coin ! Non, maiiiis ! C'est pour les **VIEILLES**, le tricot !

Son aiguille va à gauche, à droite, à gauche, à droite… La laine s'emmêle dans ses cheveux, se démêle, s'emmêle… Puis, la pelote fait un **bond** dans les airs ! Elle vole, elle vole eeeeeeet… atterrit sur le brownie de **Léo** ! On dirait un nid d'oiseau ! Pff, bien fait pour le gros ! Même pas capable de s'empiffrer en cachette.

C'est la cohue !

Je m'en vais aiguiser mon crayon et je m'arrange pour attraper ma liste sur le bureau de **Bernadette**.

Ma main jette AC-CI-DEN-TEL-LE-MENT son cartable au sol. **Bernadette** pleurniche et moi, je ris. L'année dernière, c'était madame Colette qui pleurait à cause de moi. Bientôt, madame Geneviève se joindra au club. Maintenant, nous sommes deux pour les **mauvais coups**. **Damien** est **nouveau**, il est arrivé au beau milieu de la cinquième année. Il ne tient pas en place et il **a-do-re** faire des **mauvais coups** ! J'ai tout de suite décidé de l'inclure dans mes manigances.

En passant devant le pupitre de mon ami, j'y dépose la `liste`. Quand je me rassois à ma place, il me lance un clin d'œil et lève le pouce en l'air.

L'année peut enfin commencer. C'est la dernière, et je compte bien en profiter !

Chapitre 2

C'est moi, le meilleur !

On est au beau milieu de la correction d'une production écrite quand on entend gricher l'interphone. *Grrrchgrichiiiiouuuu*… On dirait que les extraterrestres viennent reprendre Le-nerd ! (Il s'appelle Lenny, mais tout le monde le surnomme Le-nerd grâce à moi.)

— *Un moment d'attention, s'il vous plaît*, annonce la voix de la directrice. *J'invite tous les élèves de l'école ainsi que le personnel à se rendre au gymnase pour un rassemblement spécial. J'ai une annonce à vous faire. Déplacez-vous en silence.*

On se met rapidement en rang « en silence ». Enfin, pas vraiment dans un silence silencieux. **Vero** chuchote avec les jumelles Brochet (Blanchet — mais Brochet, ça leur va teeeeellement mieux ! Elles font toujours aller leur bouche **POP POP POP** comme des poissons !), **Damien** bouscule les autres pour être le premier et moi, je tape des mains pour les encourager. Un, deux, un, deux ! Allez, en ligne ! La directrice a parlé, on doit écouter ! Malgré tout le bazar, madame Geneviève ne s'impatiente pas. Elle sourit bizarrement, comme si elle voulait nous dire quelque chose de suuuuuper COOL.

On se rend enfin au gymnase, où on s'assoit au sol. Je mets Damien au défi d'aller tirer sur la bretelle rose de Victoire, la trisomique de l'école. Il commence à peine à se lever que madame Geneviève fronce les sourcils. Ouin… Elle nous a pas mal à l'œil depuis qu'on a barbouillé de terre les nouvelles chaussures de Clara, une des jumelles Brochet.

Monsieur Adam, notre professeur d'éduc, est sur une estrade en avant de nous. Il a un micro dans les mains et demande à madame Claire, la directrice, de se joindre à lui. Blablablaaaaaa… On va encore avoir droit au discours sur les costumes d'HALLOWEEN. Pas d'armes, même en mousse (comme si un petit COUP D'ÉPÉE allait faire mal à quelqu'un !), pas de masques (parce qu'on n'arrive pas à respirer, ç'a l'air… Pourquoi les magasins en vendent, alors ?), pas de vêtements trop courts (ça, c'est surtout pour les filles qui se prennent déjà pour des MADAMES). C'est pareil chaque année au début du mois d'octobre. Après sept ans, c'est bon, on a comprüüüüs !

Je n'écoute pas vraiment, trop occupé à envoyer des petites roches dans le dos de mes camarades de classe. J'en ai plein de prises sous mes souliers. Une dans le dos de Le-nerd, une sur l'épaule de Léo le gros, une sur l'oreille de Mélody-pipi… Ouin, j'ai manqué mon coup pour

celle-là. Elle s'éloigne, elle roule sur le plancher… Loin, si loin… Au revoir, cher petit caillou !

Tout le monde se met à applaudir, soudainement. Qu'est-ce qui se passe ? Je vais pouvoir me déguiser en guerrier viking, cette année ?

Damien se lève d'un seul bond et vient me crier dans les oreilles.

— T'as entendu, **Alexis** ?

Ça va être **génial** !

— Quoi ?

— La course des champions !

Il n'a pas le temps de m'en dire plus, monsieur Adam lance une vidéo sur le projecteur. **WOW !** Ç'a l'air **SUUUUPER COOL !** On suit un jeune qui monte des murs, passe dans des tunnels, traverse des toiles d'araignée... Tout ça en allant le plus **VITE** possible.

Je vais gagner, c'est certain ! Même pas besoin de m'entraîner, je vais réussir les yeux bandés !

Je regarde Le-nerd du coin de l'œil. Il se ratatine instantanément. Hé ! Hé ! Il va se faire É-CRA-SER !

Chapitre 3

La casserole égarée

MATHS

Après l'école, je vais souvent au parc avec mes amis. Pas pour courir dans les modules comme le groupe de filles de quatrième année, qui s'entraîne supposément pour la COURSE des CHAMPIONS depuis une semaine. On n'a plus dix ans ! Nous, on vient jouer au soccer.

La Ville a refait le terrain au début de l'été. Avant, il était plein de trous, le ballon changeait de direction tout seul ! Zack s'est même foulé la cheville l'an passé.

Son pied a tourné dans le MAUVAIS sens et il est tombé. Comme il court la bouche ouverte, il s'est retrouvé avec une poignée de gazon entre les dents !

Damien et moi, on s'installe au milieu du terrain pour choisir quel joueur on veut dans notre équipe. On est les capitaines. J'aime ça, jouer contre lui. C'est le seul qui n'a pas PEUR de me rentrer dedans (et il le fait sans arrêt). Avant, on était un nombre pair. Depuis la mort de son frère, Félix ne vient plus au terrain après les cours. Je crois qu'il rentre directement chez lui. Il ne se rend pas compte qu'il débalance tout notre jeu ! Chaque fois, il y a quelqu'un qui doit rester sur le banc. Et ce n'est **jamais** moi !

Il commence à être tard. Presque l'heure du souper. Tous mes amis sont partis, leurs parents sont venus

les chercher les uns après les autres. Moi, il n'y a jamais personne qui vient me chercher. Personne qui surveille l'heure à laquelle j'arrive après l'école.

Ma famille n'en est pas véritablement une. Je n'ai pas de papa, pas de maman. Je me promène de maison en maison. Parfois, j'en ai deux dans la même année. Avec de **nouveaux** « frères » et de **nouvelles** « sœurs ». J'ai des faux parents, aussi. Des tuteurs, comme les appelle plutôt madame Maria, la TES (technicienne en éducation spécialisée, mais c'est **loooong** à dire !).

L'an passé, je vivais dans une maison vraiment riquiqui. J'étais le plus jeune de quatre enfants et je passais toujours en dernier. Pour tout. Le dernier à se servir pour souper (il restait seulement les légumes — **BEUUUURK !**), le dernier à prendre sa douche (à l'eau uuuultrafroide), le dernier à choisir le poste de télévision (donc, jamais). C'était sans arrêt : « **Alexis**, fais ci ; **Alexis**, va chercher ça. »

J'étais bien **content** quand on m'a annoncé qu'il y avait une nouvelle maison pour moi.

Là, mon tuteur s'appelle David. Il est… correct. Ce n'est pas un papa comme dans les films, qui te lance un ballon de **FOOTBALL** dans la rue. Mais il m'a donné une grande chambre à moi tout seul et, des fois, il achète les mêmes gâteaux que la maman de **Léo**. Il me laisse faire ce que je veux, quand je veux. Je pense qu'il ne s'en rend même pas compte, quand je suis à la maison. C'est comme si j'étais un fantôme.

Je donne un coup de pied dans mon ballon. Il vole haut dans les airs, il cogne contre le poteau du but, puis il tombe dans le filet. Je le laisse là et vais chercher ma bouteille d'eau dans mon sac. C'est David qui me l'a donnée, à la rentrée. Il a écrit mon nom dessus avec un gros feutre. Je la remets à sa place, contre un cahier noir. *Mon* **CAHIER NOIR**.

Je m'assure que personne ne me regarde avant de le prendre, puis je m'assois dans le gazon pour lire ce que j'ai écrit.

Il ne faudrait pas que quelqu'un pense que j'ai un journal intime ! C'est juste pour les **filles** !

Ça, c'est le cahier des **mauvais coups** !

Sur la première page se trouvent tous ceux que j'ai faits l'an passé. Il y en a tellement ! J'ai même dû en mettre dans la marge. Sur la deuxième page, j'ai collé la liste que j'ai passée à **Damien** en début d'année.

La troisième liste s'appelle : DAVID.

Je l'ai commencée quand il est venu me chercher à mon *ancienne* maison. Il m'en reste encore beaucoup à faire. Je vais devoir passer à la **VITESSE** supérieure !

- Barbouiller tous les miroirs de la maison avec de la crème solaire.
- Faire **EXPLOSER** un œuf dans le micro-ondes. (Ça cause autant de dégâts que la sauce tomate, mais

ça sent beaucoup plus **MAUVAIS** !)

- Couper tous les poils du tapis à franges du salon.
- Changer les étiquettes des pots de sucre et de sel.
- Ranger la vaisselle un peu partout dans la maison (je pourrais mettre des casseroles dans la sécheuse !).
- **Brasser** toutes les canettes de boissons gazeuses.

Si je fais assez de niaiseries, peut-être que j'arrêterai d'être invisible ?

Hmm... Pas sûr. Ça vaut quand même le coup d'essayer !

Je range mon **CAHIER** tout au fond de mon sac, pour être certain que personne ne le trouve. JAMAIS !

Il fait de plus en plus noir et mon ventre gronde comme une tondeuse à moteur tellement j'ai faim ! **VITE**, je dois me ravitailler ! Je vais chercher mon ballon dans le but et je cours à la maison en **zigzaguant** entre les voitures stationnées le long de la rue. Ce sont les **DÉFENSEURS** de l'équipe adverse. Je les déjoue tous pour remporter le match, parce que je suis le **MEILLEUR** !

Quand j'entre dans la maison, la douche coule et David chante. Une vraie casserole ! Parlant de casserole…

La voie est libre ! Je vais pouvoir cocher un élément de ma **liste** !

Je lance mon sac sur le tapis de l'entrée, puis mon ballon de soccer. Il atterrit sur les chaussures. Il **rebondit** et déboule les marches en accrochant un pot de fleurs ! Tant pis. Ou… tant mieux !

Je **COURS** à la cuisine et j'ouvre toutes les armoires. Je dois me **GROUILLER** ! Je prends dans mes bras trois casseroles, deux bouteilles d'eau, cinq bols et un paquet d'ustensiles. En essayant de ne

rien échapper, je fais le tour de toutes les pièces. Une spatule sous le divan, un bol derrière le téléviseur, une bouteille entre les bobettes de David…

Il me reste une casserole à cacher quand le silence s'installe dans la maison. David va sortir de la salle de bain d'une minute à l'autre ! **VITE** ! Je laisse tomber la casserole dans le couloir d'en haut et je me précipite dans le salon. Je descends les marches en faisant le moins de bruit possible, pour rattraper le **vacarme** du chaudron. Quand la porte de la salle de bain s'ouvre, je suis assis sur le divan, bien **sagement**.

J'entends David trébucher dans le couloir. Oups !

— **Alexis** ?

Je le vois apparaître dans la cage d'escalier. Il a la casserole dans une main et il se gratte la barbe de l'autre.

— Pourquoi elle était à l'étage ?

Je hausse les épaules. Je ne le regarde pas, je fixe le téléviseur.

— **Alexis**… Tu sais que la télé n'est pas allumée ?

Oups… Grillé !

Chapitre 4

C'est moi, le roi !

— Alexis ! Attends !

Non, je ne peux pas attendre ! Je vais manquer mon autobus ! Je devrai ensuite marcher pendant deux LOOOONGS kilomètres pour aller à l'école ! J'ouvre la porte et m'élance à toute VITESSE sur le balcon. Je suis déjà dans la rue quand David arrive dehors.

— Ton sac !

Je m'arrête tellement sec que mes chaussures continuent de glisser. Je tâtonne mes épaules, puis mon dos. Rien. Ah, non !

Dans le stationnement, David tient mon sac d'école d'une main. De l'autre, une feuille. Je la reconnais tout de suite. C'est madame Geneviève qui nous l'a remise, la semaine passée.

École Sainte-Marie, 9 novembre

Autorisation parentale

Chers parents,

Le 17 novembre prochain, les élèves du troisième cycle (5e et 6e années) auront la chance d'aller à la piscine municipale. Cette initiative s'inscrit dans la préparation de la course des champions du mois de juin. Veuillez retourner le plus rapidement possible le coupon-réponse qui suit.

☐ Mon enfant participera à cette activité.

☐ Mon enfant ne participera pas à cette activité.

☐ Je suis disponible pour reconduire ____ enfants.

Signature : ________________________

J'attrape mon sac en VITESSE. David me regarde comme s'il avait des rayons laser dans les yeux. Il doit avoir de vrais pouvoirs, parce que je sens mes joues qui brûlent !

— Pourquoi tu ne me l'as pas donnée plus tôt ? C'est aujourd'hui, la sortie !

Je hausse les épaules, sans répondre. Mes tuteurs refusent toujours que je participe à des ACTIVITÉS en dehors de l'école. « C'est trop cheeeeer ! » Si c'est trop cher, pourquoi tous les autres peuvent y aller ? ? ?

— Je vais te la signer. Si j'avais su, j'aurais essayé de prendre congé pour me joindre à vous.

J'ai la mâchoire qui se décroche (c'est une expression de madame Geneviève pour dire que quelqu'un est vraiment très beaucoup surpris) ! Elle tombe **BIM BAM BOUM** et roule sur le trottoir **TOC TOC TOC**. Je n'y crois pas.

C'est sûr que c'est une blague. À la dernière minute, on va m'annoncer que je ne peux pas y aller. Ça va être un nouvel épisode de *Alexis, tout seul à l'école.*

Madame Émilie va-t-elle découvrir qui a collé de la gomme entre les pages du dictionnaire ? Miss Kathy saura-t-elle marcher sans click-a-ta-clocker *? Monsieur Adam arrivera-t-il à manger dix pommes d'affilée ?*

— Allez, va préparer ton sac de **PISCINE**.

— Mais... mon autobus ?

Je vois déjà le gros véhicule jaune tourner le coin de la rue. Il faut que je me mette à COURIR MAINTENANT si je veux arriver à temps !

— Je vais aller te reconduire à l'école. Maintenant, dépêche-toi !

Pas besoin de me le répéter ! Je monte comme une FUSÉE dans ma chambre et je mets tous mes tiroirs à l'envers pour trouver mon MAILLOT DE BAIN. Je le jette au fond de mon sac, puis je me précipite dans la salle de bain.

J'attache une serviette autour de mon cou et je **vole** jusque dehors. David m'attend dans l'auto. Pendant que je boucle ma ceinture, il dépose la feuille sur mes genoux.

☑ Mon enfant participera à cette activité.

☐ Mon enfant ne participera pas à cette activité.

☐ Je suis disponible pour reconduire ____ enfants.

Signature : *David Saint-Amant*

Je vais à la **PISCINE** ! YÉÉÉÉ !

— ATTENTION, J'ARRIVE !

Un sauveteur souffle dans son sifflet, **Bernadette** crie « Madame Geneviève ! » mais je ne m'arrête pas. Je ne peux pas courir aussi **VITE** que j'aimerais, parce que le plancher est glissant. Mais je vais quand même beaucoup plus **VITE** que les autres de ma classe ! Ils sont encore en train de chercher une chaise pour mettre leur serviette. Ils sont teeeeeellement lents !

— **ALEXIS** !

La voix de ma prof est forte et autoritaire, mais…

SPLAAAAAASH !

Trop tard !

Quand je sors la tête, le sauveteur est juste devant moi, debout sur le bord de la **PISCINE**. Il me regarde de haut, les bras croisés.

— Tu es banni de la **PISCINE** pour dix minutes.

— Pffffff ! que je proteste, l'arrosant avec l'eau dans ma bouche.

Le jet passe entre mes deux palettes et arrive pile sur son

entrejambe. On dirait qu'il s'est fait PIPI dessus !

— Alexis, écoute le monsieur.

Je crois qu'on va devoir donner des cours de reconnaissance faciale à madame Geneviève... Ça, ce n'est pas un monsieur ! Il est plus petit que mon *ancien* frère Max, et son visage est plein d'acné ! (L'acné, c'est les boutons tout DÉGUEU des adolescents. OU-AAAAAACH !)

— Dehors ! Et ne reviens plus du tout dans ma PISCINE !

— Ce n'est pas *ta* PISCINE, il n'y a pas ton nom dessus !

— Ça suffit, Alexis !

Madame Geneviève se penche pour me prendre le bras, mais je m'éloigne du bord en nageant. C'est génial, personne ne peut m'obliger à écouter. Je suis le roi de ma destinée ! Enfin !

Je fais l'étoile sur le dos en riant. J'éclabousse autour de moi en claquant l'eau de mes mains. Est-ce qu'il va y avoir de la nage dans la COURSE de fin d'année ? Si oui, c'est clair que je vais gagner, les autres ont l'air d'avoir PEUR de se mouiller ! Quelle bande de mauviettes !

Je ne reste pas longtemps, par contre. Le sauveteur vient de se jeter dans la PISCINE. Il m'attrape pour m'en sortir. Il me force à m'asseoir sur une chaise. Je me croise les bras. Mes compagnons de classe me regardent, leur serviette encore à la main. Ils ont les yeux grands ouverts, comme si je venais de lécher le dessous du PIED de notre prof d'éduc.

— Allez, tout le monde dans le bassin !

Madame Geneviève prend **Bernadette** par les épaules pour l'entraîner plus loin.

Mon règne n'est pas terminé. Ah ça, non !

Ils n'ont encore RIEN vu !

— EEEEEEET LE GROS S'ÉLANCE ! Oh, mais il hésite ? Aurait-il PEUR du vide ? Trois mètres, mais QUELLE

HAUTEUR ! Attention, Le-nerd est sur le tremplin voisin ! Va-t-il sauter ? Oui, non… OUIIIII ! Sans aucune grâce ! C'est le saut le plus raté que j'ai JAMAIS vu !

Le gros tremble en haut du tremplin, on dirait qu'il va pleurer. Il finit par rebrousser chemin et descend les marches.

Je **COURS** encore sur le bord de l'eau, afin de commenter un autre événement de la journée.

— Les jumelles Brochet, supposément pros de la nage synchronisée, ont la tête en bas depuis longtemps ! Peut-être cherchent-elles leur intelligence au fond du bassin ?

— **JEUNE HOMME !**

Le sauveteur pointe le doigt vers moi. Il s'apprête à descendre de sa chaise quand je me mets à crier.

— Je ne suis pas dans *ta* **PISCINE** !

Vaincu, il abandonne.

AH-AH ! J'ai gagné !

Quand j'arrive à la maison, David est dans la cuisine en train de couper des pommes de terre. On dirait qu'il en prépare pour une armée ! Ou peut-être qu'il veut faire des bonshommes de patates dans la cour ?

— Comment s'est passée ta journée ? Tu as été sage ?

— Comme une image !

Chapitre 5

Ce n'est pas ma faute !

T.E.S.
Alexis
T.E.S
BANG
T.E.S.
Alexis
T.E.S.
Alexis

Grrrchgrichiiiiouuuu… C'est l'interphone ! **Léo** se tait d'un seul coup. Une chance ! Je n'en peux plus de l'entendre dire que sa famille a pris des résolutions santé. Mange des carottes comme collation autant que tu veux… n'empêche que t'es encore gros ! Et que je vais te battre à la **COURSE** des **CHAMPIONS** !

— Hi, *miss Geneviève ! Est-ce que… voir… plaît ?*

OUUUUF! Le son est encore plus entrecoupé que d'habitude. **Damien**, à côté de moi, remplit les trous.

— « Est-ce que le gros peut voir ses orteils ? Non, mais ça lui plaît ! »

Je **m'esclaffe** et je montre **Léo** du doigt. Celui-ci a les joues toutes rouges. **Vero** lui lance un **sourire**. Qu'ils sont mignons, les amoureux !

— Miss Kathy ? On n'entend rien !

— *What ?*

Madame Geneviève s'approche de l'interphone. Elle crie presque dedans !

— ON… N'ENTEND… RIEN ! *WE… DO NOT… HEAR YOU !*

— *Oh, OK !*

On dirait bien que miss Kathy nous a raccroché au nez ! Il y a quelques **rires**, puis madame Geneviève tente de nous ramener au calme. Elle essaie de nous faire lire un texte sur « la magnifique histoire des **JEUX OLYMPIQUES** » (**ARCHIBEURK**), mais personne n'a envie de ça ce matin ! N'importe quelle distraction est la bienvenue.

Click-a-ta-clock-a-ta-click-a-ta-clock-a-ta-click-a-ta-clock...

Justement, du bruit dans le corridor ! Tout le monde reconnaît les pas de miss Kathy. Personne ne marche comme elle !

Click-a-ta-clock !

Miss Kathy entre dans la classe comme un coup de vent et déclenche une tornade ! **Bernadette** brandit sa main et la secoue dans les airs. Elle se lève pour être certaine d'attirer **TOUTE** l'attention. Elle n'attend pas son tour de parole et se met à raconter en détail le son de l'interphone et pourquoi on ne pouvait pas comprendre. La moitié de la classe salue miss Kathy. L'autre moitié commence à discuter. Moi, je lance une boule de papier sur la tête de Le-nerd. En plein dans le mille !

— J'aimerais voir Alexissssss Gélinasssss, s'il vous plaît.

Miss Kathy n'est jamais capable de prononcer mon nom. Elle étire toujours les *s*.

— Alexis ?

— Mais je n'ai rien fait !

Pas moyen de protester ! Je dois sortir avec mon agenda et mon étui à crayons. Je suis miss Kathy à travers les couloirs. J'ai **PEUR**. Juste un peu, presque pas. Est-ce qu'on m'a trouvé une autre famille ? Mais, d'habitude, mes **nouveaux** parents ne viennent pas me chercher à l'école. Est-ce qu'il est arrivé quelque chose à David ? J'espère que non ; il me fait de la **pizza**, le vendredi soir.

Miss Kathy s'arrête devant le bureau de la TES. Elle cogne à la porte et madame Maria vient nous ouvrir.

— Bonjour, **Alexis**. Entre, je voulais te voir.

Miss Kathy nous dit bye et je m'assois sur une des chaises. Madame Maria prend l'autre.

Elle est **COOL**, madame Maria. Enfin, pour une TES. Elle a des cheveux en mottons. On jurerait des lianes ! Et elle ne s'habille pas du tout comme les profs. Elle a toujours des vêtements **suuuuuper** colorés et beaucoup de bijoux.

— On m'a raconté que ça s'était mal passé à la **PISCINE** ?

— Non, tout a super bien été.

— Ah, d'accord. Ça devait être des mensonges, alors... Tu veux bien faire cet exercice ?

Elle glisse une feuille sur la table. C'est le même texte qu'on lisait en classe. ZUT !

Pendant que je tente de répondre aux questions de compréhension, madame Maria travaille sur son ordinateur. TIC-TIC-TIC-TIC. Ça ressemble à un code morse, mais SUUUUUUPRARAPIDE !

Je ne réussis pas à me concentrer. Les mots arrivent tout croches dans ma tête. Mon crayon ne veut pas écrire de phrases.

— J'ai menti.

TIC-TIC-STOP.

— À quel sujet ?

— Je n'ai pas été si sage que ça à la PISCINE.

Madame Maria roule sur sa chaise jusqu'à moi.

— Tu sais pourquoi tu as fait des niaiseries ?

Elle n'a pas **PEUR** de dire les vraies choses, madame Maria ! C'est la seule adulte que je connaisse qui n'affiche pas une **drôle** de face quand on prononce des gros mots.

— Non. J'avais juste envie de désobéir.

— Tu sais pourquoi ? répète madame Maria.

— **NOOOON !**

Je me mets à taper du pied et je lance mon crayon. Non, je ne sais pas pourquoi ! Je suis comme ça depuis que je suis né. Et je resterai comme ça, un point c'est tout ! Qu'ils se mêlent de leurs affaires, LES AUTRES !

BAM BAM BAM.

Mes poings cognent sur la table. Je frappe fort, quand même. Ça me fait mal. J'attends que madame Maria me chicane. Les adultes me chicanent toujours.

Madame Maria ne réagit pas. Elle me regarde.

Je finis par me calmer. Tout seul. J'ai chaud et j'ai les mains en compote.

— OK. On va travailler là-dessus.

Là-dessus ?... Sur quoi ?

Comment travailler sur quelque chose qu'on ne connaît pas ?

Madame Maria refuse de me le dire !

Chapitre 6

Il est tombé, le divin enfant !

Depuis que la neige est apparue, ma liste de **mauvais coups** s'est allongée :

- Piquer la canne de **Veronica** pendant la récré.
- Lancer des boules de neige sur les autos des profs.
- Glisser un glaçon dans le dos de **Le-nerd**.

Demain, c'est le spectacle de **NOËL**, et je suis plus que prêt ! Il y a la répétition générale cet après-midi. Je compte bien en profiter pour... répéter !

Quand la cloche sonne la fin du dîner, on se met tous en rang. Pour une fois, je reste sage. Je refuse même la proposition de Damien d'aller voler les tuques des jumelles Brochet.

— Non, pas aujourd'hui, que je lui réponds.

— Quoi ?

Damien ouvre de grands yeux étonnés. On dirait que ses sourcils veulent se camoufler dans ses cheveux.

— Est-ce que tu fais de la fièvre ? me demande-t-il.

— Non, non. Je prépare quelque chose de mieux. De beaucoup mieux…

Pendant que la surveillante ne regarde pas, **Damien** quitte sa place dans le rang. Il passe à côté des jumelles et attrape les deux tuques en même temps. Mais il n'est pas très habile, **Damien** ! Il tire les cheveux de Clara en même temps ! Résultat : elle se retourne en *furie* et écrase avec force le pied de mon ami. **Damien** se fait avertir et il reprend sa place en sautillant.

Oui, mon **plan** fonctionnera beaucoup mieux…

⏱ ⏱ ⏱

C’est le tour des maternelle de répéter leur chanson. Nous, on passera juste après. C’est pour ça qu’on est dans les « coulisses ». Monsieur Christian, le prof de musique, s’y croit vraiment. **Non, mais !** C’est juste des tableaux à roulettes qui nous séparent de la salle !

On n'est même pas cachés pour vrai, le public peut voir nos pieds jouer à la marelle. Justement, ça doit faire trois fois que Mélody et Léa se font avertir.

Et le nombre d'avertissements pour Alexis Gélinas est de… zéro !

Je suis sage, n'est-ce pas ?

Madame Maria serait fière…

Ou pas.

Pendant que personne ne fait attention à moi, je me faufile en direction de la scène. J'ai l'impression d'être un agent secret, à la James Bond.

Au revoir, Daniel Craig, je m'en viens prendre ta place !

Les maternelle les plus **grands** sont debout sur de petits tabourets, dans la dernière rangée. Ils jouent du triangle et du gazou avec un **SÉRIEUX** digne du pape. Et une, et deux, et trois !

L'élève le plus près des coulisses tombe de son siège, COMME PAR HASARD ! Le deuxième fait pareil, puis toute la rangée se retrouve les deux fesses au sol.

Ma faute ?

PFFFFFFFFFFFFFFFFFFFFFFFFF

FFFFFFFFFFFFFFFFF !

Oui.

J'ai juste eu à tendre le bras pour tirer sur la patte du premier tabouret, et voilà ! Ils se sont cognés comme des dominos !

— Je vais aller le dire à monsieur Christian !

Devinez qui ? **BERNADETTE**.

— Je vais te piquer tes baguettes si tu continues !

Bernadette ramène ses aiguilles de tricot et sa pelote de laine contre elle. Elle tape du pied, puis va rejoindre les filles de la classe. Elle ne dira rien, elle a trop PEUR de moi pour ça ! Surtout depuis que Damien lui a coupé une tresse… Elle sait que c'était moi, le cerveau de l'opération !

C'est la panique dans la salle. Les petits réclament leur maman, les enseignants zigzaguent entre eux en essayant

de comprendre ce qui a bien pu se passer. Miss Kathy vient d'arriver et pousse de bruyants : « OH ! LORD ! » C'est la folie !

J'en profite pour m'éloigner de la scène. Personne ne me soupçonnera jamais !

Ils ne sont pas prêts pour le vrai spectacle…

C'est le **grand** jour ! Sortez les trompettes et les majorettes ! Aujourd'hui, c'est la fête !

Je vérifie si j'ai ce dont je vais avoir besoin dans mon sac. TUTUTU... Oui, tout est prêt !

— Alexis ! Peux-tu descendre, s'il te plaît ?

J'attrape mon sac et je cours en bas des escaliers. David m'attend dans la cuisine. Il a fait des crêpes. EN PLEINE SEMAINE ! J'adore ses crêpes !

— WOAAH ! Merci, David.

— Tu vas avoir plein d'énergie pour le spectacle ! Je suis certain que tu vas être excellent.

Je lève les yeux vers lui. Il se rappelle que j'ai un spectacle aujourd'hui ? WOW, c'est mon premier tuteur qui m'encourage dans une activité.

— Ferme la bouche, **Alexis**. Et ne me regarde pas comme ça ! Tu croyais que j'avais oublié ?

— Ben… Un peu, là.

— Pas du tout ! Je vais même m'asseoir au premier rang, promis !

— Tu n'es pas obligé. Tu travailles beaucoup, pis ce n'est pas si IMPORTANT que ça.

David dépose sa main sur la mienne. J'arrête de manger, je n'essuie même pas le sirop qui a coulé sur mon menton.

— Tu es **IMPORTANT**, **Alexis**.

J'ai les yeux qui chauffent et on dirait que la pelote de laine de **Bernadette** est en train de grossir dans ma gorge. David me lâche et va se chercher une deuxième tasse de café. J'en profite pour me sauver à toute ***VITESSE***.

Ô belle crêpe au sirop d'érable cuite à la **perfection**, avec juste ce qu'il faut de bananes et de brisures de chocolat… tu me manqueras !

Je me **DÉPÊCHE** de mettre mon manteau, ma tuque, mon foulard, mes mitaines… C'est teeeeeeeellement fatigant, s'habiller, l'hiver !

Je pose le pied dehors et j'entends David m'appeler.

— **Alexis** !

Quoi, ENCORE ?

David arrive dans l'entrée et me tend mon sac. Eh, ZUT ! Ce n'est vraiment pas la journée pour l'oublier !

— Qu'est-ce que tu traînes de si lourd ?

— Euh… Rien ! Bonne journée !

ZIOUUUUUUUU ! Vite comme l'éclair, je cours vers l'arrêt d'autobus.

⏱ ⏱ ⏱

C'est looooooooong ! Une chance que je suis doué pour m'occuper ! En attendant notre tour, j'ai :

- Caché les flûtes à bec de tous les élèves de deuxième année.
- Mélangé l'ordre des feuilles de monsieur Christian. (Aaaaaah, c'était tellement **drôle** ! Il est devenu tout rouge, on aurait dit qu'il allait pleurer !)
- Barbouillé les partitions de Le-nerd.

Les maternelle terminent leur chanson. C'est notre tour ! Mon arme secrète est bien cachée dans les poches de mon pantalon. Au moment de monter les marches, par contre,

J'HÉSITE. David va être dans la salle. Dans la première rangée, même ! J'aimerais ça, qu'il soit **fier** de moi. J'ai aimé ça, quand il m'a encouragé ce matin…

Bon, c'est décidé. Je vais aller devant mon lutrin, et je vais jouer. Je vais souffler dans ma flûte du mieux que je peux. Je vais être le **meilleur** et David va me féliciter ! Oui, bon !

Bien droit et bien fier, je parade sur scène jusqu'à ma place. Je regarde le premier rang très attentivement. Une fois. Deux fois.

Trois fois…

David n'est pas là !

La colère monte en moi. Des éclairs rouges passent devant mes yeux. J'ai envie de taper du pied assez fort pour faire un trou jusqu'en Chine !

BAM BAM BAM.

Tant pis pour mon envie d'être sage ! Je n'ai plus personne à impressionner !

Je voulais attendre le milieu du premier morceau. Mais là, ça ne me tente plus. Je coince ma flûte sous mon bras et je sors deux canettes de mes poches.

PCHHHHHHHHHHHH !

Des toiles d'araignées multicolores sortent des canettes. J'arrose tout le monde autour de moi. Il y en a partout ! Dans les lunettes de Le-nerd, dans la bouche de Léo le gros (il va avaler ça tout rond, tellement il est goinfre ! Miam, miam, de la bonne barbe à papa !) et même sur la canne de **Vero** ! Les jumelles sont tellement en furie : leurs **belles** robes sont toutes **SALES** ! Clara se tourne vers moi et je me mets à courir sur scène. Elle me frappe avec sa flûte. **AÏE!** **Bernadette** en rajoute.

— MADAME GENEVIÈVEEEEEE !

Chapitre 7

Le 42 376 588e « dernier » avertissement

Je suis dans le bureau de madame Claire. Je n'ai pas à attendre David longtemps. Il ne vient pas au spectacle, mais, pour me chicaner, *monsieur* arrive au galop ! Madame Maria l'accompagne en chuchotant. Mais qu'est-ce qu'ils complotent ?

Est-ce qu'on va me renvoyer dans mon *ancienne* famille ? Non, s'il vous plaît, pas ça ! Je ne veux pas avoir à partager ma chambre avec Max, pas encore ! Il laissait tout traîner sur mon lit (ballon de soccer, chandail, frisbee, emballage de chocolat…

Je n'avais **JAMAIS** de place pour dormir !) et il gardait toujours la lumière allumée suuuuuper tard pour pouvoir jouer sur son cellulaire.

S'il vous plaît, je ne veux pas retourner là-bas, ah non, s'il vous plaît, s'il vous plaît...

— **Alexis**, est-ce que tu nous écoutes ?

EUUUUH, non ?

Madame Claire n'attendait pas vraiment de réponse, parce qu'elle continue :

— Ce n'est pas la première fois qu'on te met en garde. C'est ton dernier AVERTISSEMENT. Tu vas devoir améliorer ton COMPORTEMENT si tu veux terminer ton primaire à l'école Sainte-Marie. Au retour des fêtes, tu auras rendez-vous avec madame Maria une fois par semaine pour t'aider à canaliser ton énergie.

BLABLABLA... Des derniers avertissements, j'en ai eu des tonnes ! Et vous savez quoi ? Je suis encore là !

Je sors du bureau de madame Claire avec David. On passe rapidement chercher mon manteau à ma case, puis on s'en va. David marche hyyyyyyper VITE, il faut que je coure pour le rattraper ! Je veux atteindre la voiture en premier, pour lui montrer qui est le plus fâché !

D'habitude, ce n'est pas long, retourner à la maison. Là, on aurait dit une é-ter-ni-tééééé ! Même la radio ne voulait pas parler !

En arrivant, je fonce vers ma chambre.

— **Alexis** !

« **Alexis**, **Alexis**, **Alexis** ! »

Encore et toujours le même fichu mot ! Il n'est pas capable de dire autre chose ?

— **Alexis**, on doit discuter de ce que tu as fait.

— **NON !**

Je suis en haut des marches, et je crie. Je crie, je tape du pied, je respire fort.

BAM BAM BAM.

— TU N'ÉTAIS PAS LÀ ! TU N'AS PAS À SAVOIR CE QUE J'AI FAIT AU SPECTACLE ! TU T'EN FOUS ! ET MOI, J'M'EN FOUS, DE TOI ! T'ES COMME LES AUTRES, TU N'ES QU'UN SALE **MENTEUR !**

David devient tout pâle et il se fige. Parfait ! Comme ça, je peux

COURIR m'enfermer dans ma chambre !

Je pousse la commode devant la porte. Personne ne sera capable d'entrer. Je vais enfin rester TOUT SEUL !

Je suis tellement en colère ! Je ne réfléchis plus. Des crayons traînent sur mon bureau. Je prends le plus gros, un énooooorme marqueur noir qui tache. Puis, je me lance. Mon bras va et vient sur le mur, le rouge se couvre de larges TRAITS noirs.

Des *X* immenses ! Encore et encore. Des mots s'ajoutent.

« **MENTEUR !** »

Je dessine partout. Jusqu'à ce que le crayon arrête d'écrire. Je tombe assis au sol.

J'entends des coups contre la porte.

— J'étais là, **Alexis**. Je ne suis pas arrivé assez tôt pour être au premier rang, mais j'étais là.

Je regarde mes mains tachées de noir, puis mon mur tout crayonné.

Il était là…

Mon cœur se serre.

Il se met à pleuvoir

dans mes yeux.

Chapitre 8

Une montagne de cadeaux ???

Le temps des fêtes a vraiment été bizarre, cette année. Pendant une semaine, ç'a été la folie ! Un souper chez les parents de David, un autre chez sa sœur, une sortie à Valcartier pour les glissades sur chambres à air, une soirée cinéma à la maison avec beauuuuucoup de popcorn, un réveillon du JOUR DE L'AN dans une salle immense avec toute la famille de David (même son arrière-grand-mère était là, toute RATATINÉE sur sa chaise. Elle n'a pas bougé de la soirée ! Elle devait trop s'ennuyer !)…

Et je n'ai pas parlé de la **nourriture** ! Du ragoût de boulettes, de la dinde avec sa sauce aux canneberges, de la tourtière (« la vraie du Lac ! », selon la sœur de David), des saucisses enroulées dans du bacon, des tartes au sucre, de la bûche au chocolat... Je n'ai jamais mangé autant de TOUTE MA VIE ! J'ai eu l'impression de devenir gros comme **Léo** !

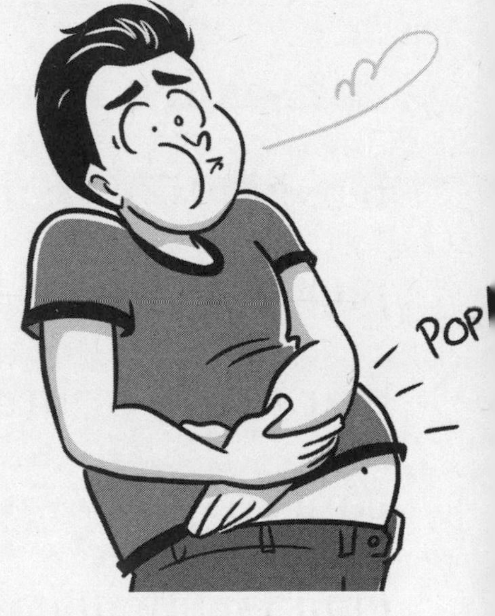

J'ai même eu des cadeaux ! Moi, Alexis Gélinas, j'ai eu des cadeaux ! C'est vrai que j'ai été super sage cette année, si on compare à d'habitude.

En fait, je pense que c'est la première fois que je fête NOËL dans la bonne humeur (bon, sauf le matin où David a trouvé mes murs couverts de marques noires. Là, il était vraiment en colère !). C'était... bizarre. Oui, c'est ça, le mot. Mais bizarre bien, hein !

David est retourné au travail aujourd'hui et je suis tout seul à la maison. **WAAAAHOUUU!**

Enfin, **WAAAAHOUUU** d'une durée limitée.

Après avoir **COURU** en faisant l'hélicoptère dans chaque pièce, sauté sur mon lit pendant dix minutes et mangé une boîte de biscuits au chocolat **au complet**, je commence à trouver le temps long. J'ai joué avec tous mes cadeaux. J'ai :

- construit puis détruit une voiture de **Lego** ;

- écouté le **nouveau** DVD de *La guerre des étoiles* (mais je me suis tanné après cinq minutes);
- essayé mes patins à roulettes dans le couloir.

Je ne sais plus quoi faire. Je ne suis pas habitué à être tout seul à la maison. Je ne suis pas sûr d'aimer ça.

Je prends la douche la plus LOOOOOOOONGUE de l'Univers (je joue à cracher l'eau le plus loin possible dans le bain), puis j'enroule une serviette autour de ma taille, comme David. Je m'approche du comptoir et fouille dans les bouteilles qui traînent dessus.

Tiens, de la crème à raser. Je pourrais essayer ça ! JACOB nous a dit qu'il s'était mis à en utiliser, parce qu'il avait maintenant des poils au menton. Le truc, c'est que JACOB est vraiment plus vieux. Même s'il est dans ma classe, il devrait être au secondaire.

Je tente d'ouvrir la bouteille, mais rien à faire ! Je tourne le bouchon à l'infini, je tire dessus de toutes mes forces. Rien de rien !

Je prends le dentifrice et j'en mets partout autour du tube de crème à raser. TIIIIENS ! Zone interdite !

En passant devant le bureau de David, je remarque son ordinateur. D'habitude, je n'ai pas le droit de l'utiliser en après-midi. Sauf que...

Je suis tout seul.

Je me précipite devant l'ordinateur et je me connecte à ma messagerie. Génial, **Damien** est en ligne !

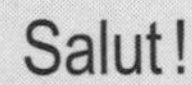

Damien

Salut. 

Alexis

Ça te dit d'aller au parc ? Ce serait cool de jouer au soccer de neige !

Damien

Peux pas. J'aide Alyssa à garder mes sœurs pendant les vacances de Noël.

Ah oui, c'est vrai. Damien a trois sœurs plus **jeunes** que lui. Et une plus vieille, Alyssa. À eux deux, ils réussissent à contrôler les triplées. Ça l'empêche souvent de venir au **parc** avec nos amis, la fin de semaine.

Alexis
Bonne chance avec les monstres !

Damien

Bon. Personne d'autre en ligne.

Découragé, je vais m'asseoir devant la télévision. Je pourrais accomplir deux ou trois **mauvais coups**, mais... non. Moi, **Alexis** Gélinas, je ne veux pas mettre le bordel ???

Ouin, on dirait que je commence à m'assagir.

Ou peut-être que j'aime ça, quand David n'est pas fâché contre moi…

CHAPITRE 9

C'EST LA GUERRE !

Aïe!

Finalement, l'école ne me manquait pas tant que ça.

TIC... TAC... TIC... TAC...

L'aiguille de l'horloge avance... lentement.

L'hiver est long. Il fait tellement froid qu'aucun de mes amis ne veut venir jouer au soccer avec moi après l'école. Même **Zack** préfère rentrer directement chez lui ! J'ai vraiment hâte de faire autre chose que tirer au but avec mes grosses bottes pleines de neige.

TIC... TAC... TIC... TAC...

Ce matin, madame Geneviève dépose sur chaque bureau un petit papier. Elle nous demande d'attendre avant de regarder. PFF ! Comme si j'allais l'écouter !

« Simone Biles » ?

Qui ? Que ? Quoi ?

— La première période d'aujourd'hui va être consacrée à une recherche sur un des athlètes dont le nom est inscrit sur votre papier. Chacun d'entre eux a eu à surmonter des DIFFICULTÉS différentes. Vous devrez me remettre un texte de deux cents mots à la fin de la journée.

Madame Geneviève veut qu'on se place en RANG pour aller dans la salle d'informatique.

— En rang bien droit !

Pas moyen ! Notre ligne ressemble plus à un serpent qui se tortille.

C'est en serpentant dans les couloirs qu'on se rend à la salle d'informatique.

QUI ? QUE ? QUOI ?

Simone Biles est une vraie **CHAMPIONNE** ! Elle n'a pas une, ni deux, mais bien **DIX-NEUF MÉDAILLES** !

Seulement aux Olympiques de 2016, elle en a remporté cinq !

En regardant ses vidéos, j'ai presque l'impression que la gymnastique est un sport **COOL** ! Et devinez quoi ?

Elle a été **adoptée** ! Ses grands-parents ont été ses tuteurs pendant une bonne partie de sa vie. Ils l'ont toujours encouragée et l'ont soutenue dans ses **ENTRAÎNEMENTS** difficiles. Même si elle n'est pas leur vraie fille, ils l'aiment **É-NOR-MÉ-MENT** !

J'ai réussi à terminer mon texte durant la période et je l'ai remis tout de suite à madame Geneviève.

— Est-ce que ta recherche t'a plu, **Alexis** ?

— Correct.

Elle me regarde avec un **drôle** d'air. Hum. À mon avis, elle a fait exprès de nous donner des ATHLÈTES qui nous ressemblent. Je me demande ce qu'ont eu les autres…

⏱ ⏱ ⏱

Pendant l'heure du dîner, je vais fouiner près du gymnase. WOW ! Il y a beaucoup de monde. Tous ces élèves s'entraînent pour le parcours à obstacles et… ils sont quand même

bons. Il n'est pas question qu'ils me battent lors de la course des champions ! Ça va être moi, le meilleur, un point c'est tout !

Je vais chercher mes souliers **SPORT** à ma case avant d'y retourner. Le gros fait des tours de la salle en joggant. Il souffle et il est aussi rouge qu'une tomate ! **Attention**, il va tomber dans les pommes !

Je me mets à courir suuuuuper **VITE**. Ils vont voir c'est quoi, un vrai coureur ! Je dépasse tout le monde, par la gauche, par la droite… Je **saute** même sur un banc pour passer par-dessus une petite de maternelle.

— **Alexis** !

C'est un des surveillants qui m'appelle. **OUPS!** La maternelle pleure en se tenant la tête. Je ne l'ai même pas touchée ! Elle raconte au surveillant ce que j'ai supposément fait en exagérant **BEAUCOUP** l'anecdote. Une future **Bernadette** !

— **Alexis**, viens ici !

J'arrête de courir d'un coup. **Damien** me suivait de tellement près qu'il s'écrase le nez dans mon dos !

Le surveillant me regarde, les bras croisés, comme s'il se croyait supérieur à moi. PFF, il va voir ! Moi aussi, je peux jouer au grand méchant adulte !

— Tu vas t'excuser à Maorie pour lui avoir tiré les cheveux.

— Je ne l'ai même pas touchée !

— Ouiiiii ! pleurniche Maorie. Tu as tout défait ma tresse !

De grosses larmes de CROCODILE roulent sur ses joues. Attention, bientôt elle sera dépeignée ET noyée !

— Alexis ?

— Excuse-moi, Maorie. Je peux y aller, maintenant ?

— Es-tu sincère ?

— Non.

Maorie se remet à pleurer. Ben quoi ! Au moins, je suis honnête ! Madame Maria répète que dire la vérité est ce qu'il y a de plus IMPORTANT.

— Recommence, Alexis. Sinon, je vais être obligé de t'envoyer voir la TES.

Je lève les yeux au ciel — c'est une expression, ça veut dire que je regarde le plafond en soupirant **TRÈS** fort.

— Je m'excuse.

— Maorie, acceptes-tu les excuses d'**Alexis** ?

— Oui.

Le surveillant a l'air **content** de lui. Super, il a résolu un conflit ! **HOURRAAAA !** Donnez-lui une médaille, quelqu'un ! Il peut retourner faire le piquet devant la corde à grimper.

Dès qu'il a le dos tourné, Maorie me **tire la langue** et me pile sur le pied. Puis, elle part rejoindre ses amies sur les poutres.

Mon gros orteil me fait mal. Un peu.

Chapitre 10

Rime ta déprime

Madame Maria me regarde droit dans les yeux  . C'est comme le **jeu** « je te tiens par la barbichette », mais sans se tenir le menton. Et sans le **jeu**.

Elle est vraiment bonne, madame Maria. Elle a les yeux d'un bleu si PERÇANT qu'on dirait des rayons de glace. Ils me donnent tellement froid que je frissonne !

— Je n'ai pas fait exprès.

J'ai perdu au faux **jeu**. Je regarde mes genoux.

Mes paroles ont (**encore !**) déplu à madame Geneviève. C'est pour ça que je suis dans le local de réflexion. On parlait de plein d'affaires *quétaines* et... d'amour ! Ça n'existe pas, c'est juste des niaiseries ! J'ai seulement partagé mes pensées un peu trop fort au goût de ma prof.

— Il faut que tu apprennes à CONTRÔLER les mots qui sortent de ta bouche, **Alexis**.

— Mais je ne sais pas comment !

Je commence à *m'énerver*. Mon pied tape le sol. Madame Maria pince ses doigts en forme de O et prend une **grande** inspiration.

Je l'imite. C'est un truc qu'on a créé ensemble, pour m'aider à me calmer. Ça marche... une fois sur un million !

— On va essayer quelque chose, toi et moi.

Elle se penche au-dessus de la table, comme si elle s'apprêtait à me dire un SECRET. Tout à coup, j'oublie ma colère. Je l'écoute avec mes GRANDES oreilles.

— Et si tu mettais ta colère sur papier ?

Euh... Quoi ? C'est ça, son idée géniale ? C'est plutôt une idée idiote pour les idiots de chez Idiotville, à mon avis.

Comme je ne veux pas passer toute ma journée dans son bureau, je prends le crayon et la feuille que me tend madame Maria.

L'amour, ça n'existe pas. Moi, je suis tout seul, tous les jours. Si l'amour existe, pourquoi est-ce que personne n'en a donné à mes parents ? Ils m'ont laissé tout seul, ils m'ont maudit et m'ont abandonné.

Ils n'avaient pas le droit de faire ça. Ils n'avaient pas le droit de m'oublier. ILS N'AVAIENT PAS LE DROIT!

J'appuie tellement **fort** sur mon crayon ! J'en perce le papier. Madame Maria me regarde, elle ne prononce pas un mot. Elle se penche pour me donner une **nouvelle** page. Ses nombreux bracelets font du bruit. Je me concentre là-dessus, pour oublier mes yeux qui picotent.

— Essaie de faire un poème avec tes mots. Les lignes ne sont pas obligées de toutes rimer. Ferme les yeux et laisse ton corps parler.

Hum... Comment ? Je n'écris pas ça, moi, des poèmes ! Je ferme les yeux en tenant bien fort mon crayon. Puis, sans que je réfléchisse, mes doigts se mettent à **COURIR** sur la feuille. Je vois les mots danser sur mes paupières. Les images arrivent comme des éclairs. Une décharge électrique par-ci, un coup de tonnerre par-là.

Quand j'ai fini, j'ouvre les yeux. Il y a des mots partout ! On dirait un train qui vient de dérailler. Sur une autre feuille, je place les phrases en ordre.

Vous voulez parler d'amour.
Mais moi, je compte les jours.
Ils m'ont laissé à l'abandon.
Ils m'ont laissé pour de bon.
Espoir inutile.
L'amour est débile.
Jamais ne s'enflammera mon cœur.
Parce que je serai le grand vainqueur!

Je le donne à madame Maria. Elle le regarde en silence, avant de me le remettre.

— C'est le poème que tu vas lire devant ta classe ?

— Ben oui. Je n'ai pas le choix.

— Sois-en fier, **Alexis**.

C'est vraiment un très beau poème. Très touchant.

Je hausse les épaules. Ça me fait tout **drôle** de recevoir un compliment.

Madame Maria se lève et je la suis. Prêt, pas prêt, je vais aller exposer mes *sentiments* devant toute ma classe !

En espérant qu'ils vont me croire quand je vais raconter que je l'ai pris dans un livre…

C'est la journée du silence ! Après mon poème, personne n'a réagi Madame Geneviève m'a fixé longtemps, avant de me permettre de retourner à ma place. Elle avait de la misère à parler. Même une des jumelles Brochet avait l'air émue. Oui, oui, ce n'est pas des **blagues** ! En passant près d'elle, j'ai vu que les yeux de Léa étaient tout rouges et mouillés.

Ben voyons…

Du seuil de la porte, madame Maria m'adresse un pouce en l'air. Je lui souris. Elle avait raison, avec ses trucs d'Idiotville. Mettre mes émotions en mots, ça m'a aidé à me calmer. Beaucoup plus que sa position de Yoda… OUPS ! Je veux dire de yoga !

— À votre tour de faire entendre votre plume ! reprend notre prof. Je vous laisse quinze minutes pour

commencer votre poème. Vous le finirez en devoir, pour demain.

Génial ! Période libre ! Je me dirige vers le coin des jeux de société quand madame Maria m'indique de la rejoindre au bureau de madame Geneviève. Elle a une **drôle** de face.

Je n'ai rien fait, pour une fois ! Ab-so-lu-ment rien !

— Ton poème était très… très émouvant. Tu peux être fier de toi, me félicite à **nouveau** mon enseignante.

OUH LÀ LÀ, j'ai chaud !

Appelez les pompiers, on dirait que mes joues sont en feu ! Madame Maria dépose une main sur mon épaule avant de demander à madame Geneviève si elle peut m'emprunter.

M'emprunter ? ? ?... Quand ? Pour faire quoi ?

Elles se regardent avec un air entendu. Qu'est-ce qui se passe ? Quel **SECRET** partagent madame Geneviève et madame Maria ?

— Je vais avoir besoin de consulter ma planification,

mais je crois que ça pourrait se faire. Si tu te tiens tranquille, **Alexis**.

— J'aimerais le présenter à **JEAN**, déclare la TES.

— C'est une très bonne idée.

Jean ? Jean qui ? Jean-Guy ?

Chapitre 11

Une nouvelle...
quoi ???

Après plusieurs recherches, voici ce que j'ai appris sur **JEAN** :

JEAN est le prénom le plus commun au monde ! Environ 1 350 000 000 résultats sur Google, en moins d'une seconde ! Le **MYSTÈRE** reste donc complet. J'ai tout essayé ! Je suis même allé sur Facebook, avec le compte de mon *ancien* frère Max. Impossible de savoir lequel est le bon ! J'espère que cette rencontre aura lieu **VITE**, sinon je vais mourir d'impatience !

Heureusement, je suis capable de m'occuper ! Pendant que David parle au téléphone, je m'habille et je sors dans la cour. Les élèves de ma classe continuent de s'entraîner pour la COURSE des CHAMPIONS et ils s'améliorent de plus en plus. Et moi…

Moi, je cours VITE. Plus que l'éclair, même ! Mais les obstacles me font perdre de précieuses secondes. Je manque d'agilité. CHUUUUT ! Il ne faudrait pas que mes amis l'apprennent !

Je prends la pelle appuyée sur la maison et je commence à me faire des montagnes à **escalader**. La neige ne pourra pas recréer tous les obstacles, mais ça va être un bon début !

Je **M'ÉLANCE**, je m'enfonce dans la neige, je continue. Je grimpe à quatre pattes la première montagne et je rampe au sol jusqu'à la deuxième. J'ai plein de flocons dans mon manteau… **aaaaaah !** c'est froid !

Je recommence, encore et encore. Je vais tous les battre ! Je vais être le meilleur !

— **Alexis** ! Peux-tu venir ici, s'il te plaît ? crie David par la fenêtre.

On s'entend bien, ces temps-ci. Il est *gentil* avec moi, alors je fais un petit effort (mais il retrouve quand même des fourchettes dans la salle de bain de temps à autre !). Je me **PRÉCIPITE** vers la maison, Ème secouant comme un **chien**. Il y a de la neige partout sur le plancher !

— Viens t'asseoir.

OUH LÀ LÀ, c'est sérieux, tout ça ! Mon cœur bat à toute VITESSE. BOUM BOUM BOUM. Même les extraterrestres doivent s'en apercevoir !

J'abandonne mon habit d'hiver au sol et je m'assois à la table devant David. Il sourit, mais il a l'air nerveux. J'ai les mains mouillées tout à coup. Je ne peux pas m'empêcher de jouer avec la nappe. J'ai envie de faire un MAUVAIS coup.

Madame Maria m'a appris à reconnaître les signes.

Ça veut dire que moi aussi, je suis **nerveux**. Nerveux, stressé, j'ai **PEUR**.

Mon cerveau s'emballe.

Et si David voulait me renvoyer dans mon *ancienne* famille ? Et si je devais partir loin de mes **amis** ? Et s'il fallait que je partage encore une fois ma chambre avec MAX ?

BRRRR, j'en tremble ! Je n'ai pas envie de dormir sur un oreiller qui sent les **BAS MOUILLÉS** !

— J'ai quelqu'un de très **IMPORTANT** à te présenter cet après-midi. Elle s'appelle Sooyoung. Je l'apprécie vraiment beaucoup. Elle a deux filles de ton âge, je suis certain que vous allez bien vous **entendre**.

Je n'aime pas ça, je n'aime pas ça, je n'aime pas ça.

— Je veux te la présenter, car elle va faire partie de ma vie pendant un long moment. Un jour, nous formerons peut-être une **nouvelle** famille, tous ensemble.

Je tombe longtemps.

Réveillez-moi, quelqu'un, c'est un 

!

Chapitre 12

Zeus, le dieu des dieux

Je veux aller faire mes valises. Je vais prendre de l'avance ! Moi, **Alexis** Gélinas, je ne suis certainement pas un membre de sa famille **idéale** et parfaite. J'ai les yeux qui piquent.

— Mets ton manteau, elles nous attendent.

— Je n'en ai pas envie.

— **Alexis**.

— **NON !**

Je me lève en renversant ma chaise au sol. Je tire sur la nappe, je l'envoie en boule sur le plancher. Non, non, non ! Je commençais à faire confiance à David ! Je croyais qu'il m'aimait bien ! Mais non ! Je ne suis pas assez pour lui, il faut croire !

— Alexis, on y va, un point c'est tout !

Je COURS à ma chambre sans lui répondre. Je claque la porte et je me mets à fouiller dans mon sac. Je prends un crayon et mon CAHIER NOIR. J'écris. Juste des mots, des morceaux de phrases sans queue ni tête. Je crie sans ouvrir la bouche. De grosses lettres majuscules, de gros TRAITS noirs.

Seul au monde… Abandonné…

Toujours, toujours laissé derrière…

David cogne à la porte. Je l'ignore. Je vais sortir seulement lorsque ma page sera remplie.

Et elle se remplit…

Remplit…

Remplit…

Remplit…

Pleine.

Je respire. Je n'ai plus le goût de **crier**. Je n'ai plus le goût de taper du pied.

Je sors de ma chambre sur la pointe des orteils. David est à **nouveau** au téléphone.

— Je ne sais plus quoi faire, Sooyoung… Oui, je sais. Moi aussi.

Je vais chercher mon manteau. Je l'enfile et je rejoins David. Quand il me voit, il se met à **sourire**.

— Finalement… on arrive.

Je *soupire* assez fort pour faire bouger une de mes montagnes **D'ENTRAÎNEMENT**.

Bonne chance à moi.

Devinez qui sont les merveilleuses filles de Sooyoung ? LES JUMELLES BROCHET ! Les adultes les aiment tellement, elles sont dooooonc **fines**, dooooonc **cutes**, dooooonc **polies** ! Moi, j'ajouterais : elle sont dooooonc *énervantes* !

Mais David les adore déjà.

Bientôt, il va dire :

— *Au revoir, Alexis. C'était bien de t'avoir, mais, en fin de compte, j'ai trouvé mieux. Notre famille va être bien plus parfaite si tu n'es pas là !*

Nous sommes chez Rosalie, une fille de notre classe. Les adultes discutent et nous, les enfants, sommes au sous-sol avec Zeus.

Qui est Zeus ?

Zeus, ce sera notre premier défi familial, comme dit la mère des jumelles. C'est un chiot. C'est pour ça qu'on est chez Rosalie. Pour rencontrer notre chien (BEURK, est-ce que je dois vraiment le partager avec ELLES ? ? ?).

Zeus est vraiment COOL. Pourquoi ? Parce qu'il me préfère

visiblement aux deux Filles ! Je lui lance une balle et il me la rapporte, tout heureux. C'est déjà un génie !

Clara me regarde de l'autre côté de la pièce. À voir sa tête, c'est clair qu'elle n'a pas envie que je sois là. Bon… c'est peut-être un peu ma faute. Tantôt, j'ai crié « Attaque ! » à Zeus. Devinez ce qu'il a fait ? Il s'est mis à courir en direction de Clara pour mordiller le bas de son pantalon.

On a eu droit à toute une crise de la *princesse* Brochet !

— **ZEUUUUUUS ! MON PANTALON !** Méchant, méchant chien !

EEEEET... depuis ce temps-là, Léa et elle complotent à voix basse. **Rosalie** nous répète les qualités du chiot (pour nous prouver qu'il n'est pas toujours aussi tannant). BLABLABLA... Ça n'en finira jamais !

Bon, on peut partir maintenant ? J'ai autre chose à faire, moi !

De retour dans la merveilleuse maison des Jeong-Saint-Amant, la famille **parfaite** ! J'espérais tellement pouvoir rentrer chez David, mais… non. On doit « partager un bon petit repas en famille, dans la **joie** et **l'allégresse** ». (Je ne suis pas certain d'avoir tout compris… Ce sont les mots de Sooyoung, hein, pas les miens !)

Les adultes préparent le souper. Je fouille dans le salon, je cherche comment mettre un peu (**beaucoup**) de désordre. Ah, tiens… Mais c'est quoi, ce bout de papier ? Il dépasse de sous le tapis. Je tire dessus pour découvrir un cliché représentant les parents des deux filles. Je reconnais leur père, parce qu'il est venu donner une conférence sur les OLYMPIQUES à l'école. Je suis sûr que c'est les jumelles qui ont « CACHÉ » cette image. Elles non plus ne veulent pas de moi dans leur famille.

— Pa-thé-ti-que.

Je la brandis et Clara me fonce dessus pour la reprendre.

Mais je suis plus RAPIDE qu'elle ! Je saute sur le divan, en tenant la photo bien haut.

— Redonne-la-moi ! chigne Clara.

— T'es donc ben bébé, Clara Brochet !

— C'est IMPORTANT !

— Viens la chercher !

Elle hésite. On dirait qu'elle a PEUR de m'approcher. Bien fait pour elle !

Je pars à la COURSE, com-plè-te-ment **crampé** ! Clara finit par me pourchasser, toujours en criant.

— NANANANANANAAAAAAA ! Tu ne m'attraperas pas !

Clara essaie de me suivre, mais je vais trop VITE pour elle. Est-ce qu'on va assister à la CRISETTE numéro deux de mademoiselle Brochet ? Attention, ça va éclater dans trois, deux, un…

— T'ES TELLEMENT MÉCHANT, ALEXIS GÉLINAS ! J'espère juste que ZEUS fera toujours PIPI dans tes bottes !

Léa s'approche et retient le bras de sa sœur (on dirait qu'elle voulait me **frapper**... PFF ! Comme si

elle en était capable !).

— Arrête, Clara. Ce n’est

qu’une photo, après tout.

La mâchoire de Clara va

s’écraser au sol. Moi aussi, je suis

étonné.

Ça arrive aux jumelles d’avoir

des opinions contraires ?

Chapitre 13

BOUM, CRASH

En revenant de chez les jumelles Brochet, David demande à me parler. Encore. J'ai pourtant été suuuuuper sage ce soir ! À part pour l'épisode de la photo, mais il ne s'en est même pas rendu compte. J'aurais bien voulu qu'il la trouve. Il aurait eu le COEUR BRISÉ en pensant que Sooyoung aimait encore le papa des jumelles. Et on aurait pu rester juste David et Alexis.

— Tu as apprécié ta soirée ?

— Mouais.

— Clara et Léa sont **gentilles**, non ? Elles sont dans ta classe, si je ne me trompe pas ?

— Mouais.

Où veut-il en venir ? Il les **aime** déjà, je l'ai compris !

— Comme ça s'est bien passé ce soir, leur mère et moi avons discuté de la suite des choses. Nous sommes prêts à passer à la prochaine ÉTAPE de notre relation. Nous allons habiter tous ENSEMBLE. Juste la fin de semaine, pour commencer.

BOUM, CRASH.

Et **moi**, dans tout ça ? Il croit que je vais le suivre, sans un mot ?

Pas question. Je n'y vais pas.

— Alors, qu'est-ce que tu en dis ?

— Il n'y a même pas de lit pour moi là-bas ! Je vais dormir où ?

Certainement pas dans la chambre des jumelles !

— Ne t'inquiète pas pour ça. On va s'arranger.

Ah oui ? Et comment ? Avec un matelas en bobettes **SALES** ? Je n'ai pas de place dans cette famille parfaite. David va me laisser derrière et je vais me retrouver tout seul.

ENCORE !

PAS QUESTION !

Cette fois, je ne pense pas à mon crayon. Je **crie**, je **hurle** à David que je le déteste. Qu'il n'a pas le droit de m'obliger à aller passer les fins de semaine avec *elles*.

— Ma décision est finale, **Alexis**.

— **NON !**

Je **COURS** dans ma chambre. Je claque la porte tellement fort que les murs tremblent.

Je **saute** sur mon lit, je vais le briser. Je VEUX le briser. Je donne des coups dans le mur. Et je crie sans arrêt.

— **TU N'AS PAS LE DROIT ! JE REFUSE D'HABITER AVEC ELLES !**

De l'autre côté de la porte, j'entends David me demander de me calmer.

Je tape tellement fort sur le mur… il y a maintenant un trou de la forme de mon poing. Je continue. Je ne sais pas comment m'arrêter.

BOUM BOUM BOUM.

David dit un gros mot. OUPS. Qu'est-ce que j'ai bien pu briser ?

Je sors ma tête de la chambre. AÏE-AÏE-AÏE… J'avais oublié l'imprimante. D'habitude, elle est sur une tablette, juste à côté des escaliers. Mais j'ai cogné si fort que la tablette est tombée et l'imprimante…

Elle est en mille morceaux, tout en bas des marches.

Finitos, el papiertos.

David a le visage tout rouge. Il est vraiment en colère, lui aussi.

— Dans ta chambre, **Alexis** ! crie-t-il. Je ne veux pas te voir avant demain matin !

Je referme la porte. Je regarde mes murs recouverts de TRAITS de marqueur.

Il va m'envoyer dans une **nouvelle famille**, c'est certain.

Je suis FICHU.

Chapitre 14

Alexis la vedette !

Ce matin, j'ai rendez-vous avec David et madame Maria pour parler de mon problème de COM-POR-TE-MENT. Je crois que c'est à cause de samedi soir et de l'EXPLOSION de l'imprimante…

Quand nous entrons dans le local de réflexion, madame Maria est déjà là, avec un monsieur assis à la table. Il est tellement grand qu'on dirait que sa chaise est toute miniriquiqui ! Il a des TATOUAGES partout sur les bras, encore plus que monsieur Adam ! Il joue de la guitare et madame Maria fredonne. Elle s'arrête en nous voyant, David et moi.

— Bonjour ! Je vous présente mon ami, JEAN. Je crois qu'il pourra apporter beaucoup à la rencontre d'aujourd'hui.

Lui... un JEAN ? NOOOOON! Tous les JEAN que j'ai trouvés avaient soit :

- des cheveux blancs ;
- une grosse bedaine ;
- PAS DE TATOUAGES DU TOUT !

— Je suis vraiment contente que vous soyez là aujourd'hui, monsieur Saint-Amant, continue madame Maria. C'est IMPORTANT pour un jeune comme Alexis de se savoir soutenu.

EUUUUH... Allô ? Je suis là ! Je déteste quand les adultes se mettent à parler entre eux. Je ne suis pas sourd !

Pendant leur blabla ennuyant, je jette un regard à JEAN. Il m'envoie un clin d'œil , puis pointe le doigt vers les deux autres en faisant semblant de S'ENDORMIR. Je lui souris.

Après une éteeeeeeernité, madame Maria et David se rappellent ma présence.

— Alexis, si j'ai invité JEAN aujourd'hui, c'est parce que je crois que tu pourrais apprendre de son histoire. Il va te donner des trucs pour attirer une attention positive plutôt que NÉGATIVE.

— Moi aussi, quand j'étais plus jeune, je faisais beaucoup de mauvais coups. J'en faisais sans arrêt, et je riais aussi de mes compagnons de classe. Au bout d'un moment, je me suis mis à énerver tout le monde. Je n'avais plus aucun ami.

PFF ! J'ai tout plein d'amis, il saura ! Bon, sauf Le-nerd, le gros, les jumelles, **Vero**, *Alice*... Ouin, ça commence à faire beaucoup.

— Tu sais quand tout ça a changé ? Quand j'ai découvert **l'écriture**. Les gens m'ont remarqué, mais pas parce que j'avais jeté leurs vêtements dans les toilettes...

Maintenant, j'écris des **chansons** pour plein d'artistes, et je fais même des tournées. Crois-tu que j'aurais pu réussir ça en restant DÉSAGRÉABLE avec tout le monde ?

— Ben… non ?

— Exact. Je riais des autres parce que j'avais mal en dedans. Maintenant, je mets tout ça sur papier et… POUF.

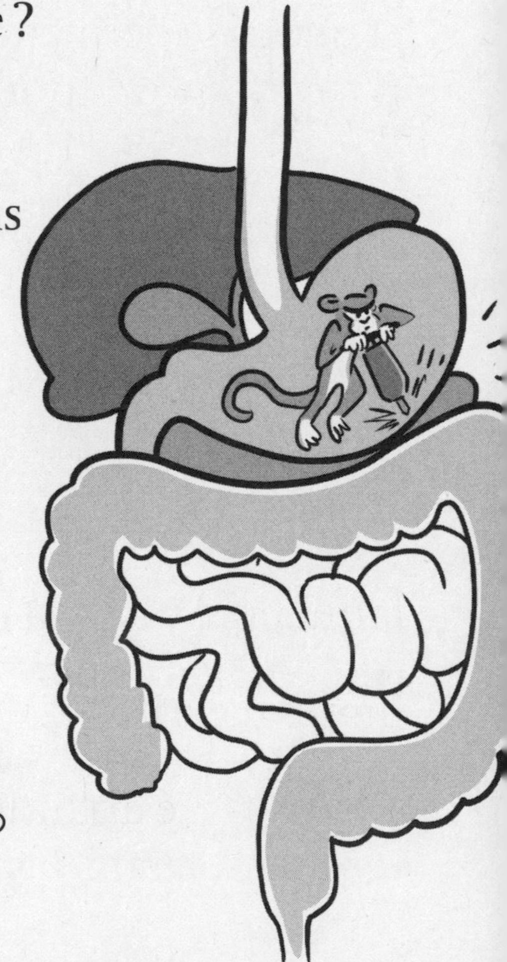

— POUF ?

— POUF. Je n'ai plus MAL. T'as envie d'essayer ? Madame Maria m'a dit que tu étais très bon avec les mots et que ça te permettait de te calmer.

— Peut-être.

JEAN me regarde. Madame Maria me regarde. David me regarde.

J'ai chaud, tout à coup.

JEAN me passe une feuille sur laquelle il y a déjà une dizaine de lignes d'écrites. Ça parle d'abandon. JEAN a été abandonné, lui aussi ?

— Je suis bloqué. Tu me donnes un coup de pouce ?

Je hoche lentement la tête.

— OK.

Quand j'arrive en classe (j'ai manqué deux périodes au COMPLET !), je me sens calme. **VRAIMENT** calme. J'ai aidé **JEAN** à terminer sa chanson. À la fin, il l'a jouée à la **guitare** et j'ai chanté nos paroles. C'était pas pire

COOL. David et madame Maria ont applaudi. Ils nous ont félicités et je me suis senti un petit peu fier.

Quand il est parti, David n'avait même plus l'air d'être fâché contre moi. Il m'a proposé de m'inscrire au camp de **musique** de **JEAN** cet été !

Justement... **JEAN** m'a laissé son numéro de téléphone et son courriel. Il donne des cours particuliers et il pense que je pourrais m'exercer avec un *drummer*. Je ne le dirai pas trop fort, mais je suis **suuuuuuper excité** ! Il m'a aussi assuré que je pouvais l'appeler si j'avais des idées de chansons ou si je voulais parler… Ouin. Je ne suis pas une fille, là ! Je n'ai pas besoin de CHIALER pendant des heures !

Mais bon. C'est hot, d'avoir le numéro d'une vedette.

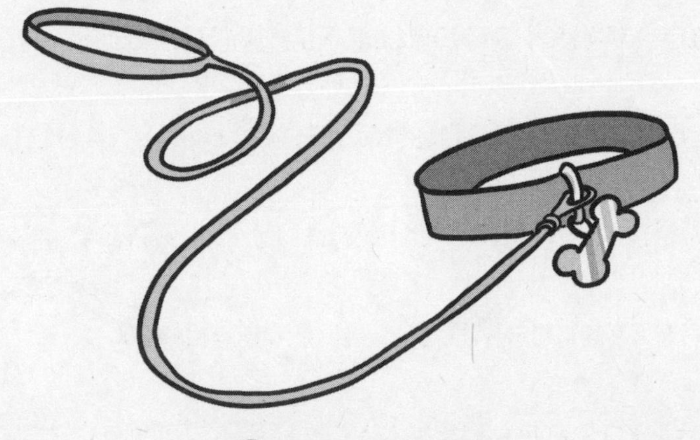

Chapitre 15

Oh, la boulette...

Depuis quelques semaines, on n'arrête pas de me répéter que ça va bien. Ça va bien à l'école, ça va bien à la maison, ça va bien chez les jumelles. Madame Geneviève m'a dit être fière de moi, ce matin.

C'est vrai que, depuis ma rencontre avec JEAN, je me sens plus calme. Et, quand j'ai envie de faire une connerie, je l'écris dans mon cahier. C'est beaucoup moins **drôle** par contre !

Comme c'est vendredi, David et moi avons fait nos valises pour aller passer la fin de semaine chez Sooyoung. J'ai un lit, finalement, là-bas. Enfin... Un divan-lit dans le sous-sol, mais ce n'est pas des vêtements SALES ! J'ai appris bien des choses... Elles ne sont pas si PARFAITES que ça, les jumelles Brochet ! Elles...

- ne font jamais leur lit le matin ;
- cachent leurs BROCOLIS sous la table (ZEUS vient les manger comme un glouton !) ;

- PÈTENT (oui, oui, ça leur arrive !) ;
- laissent traîner leur sac de PISCINE dans l'entrée ;
- FOUILLENT DANS LES AFFAIRES DES AUTRES.

Comment je le sais ? Eh bien, je viens de trouver Léa, avec **MON CAHIER NOIR**. Oui, oui ! Et elle le lit ! Elle n'a pas le droit ! C'est PRI-VÉ.

— Hé ! C'est à moi !

Je lui arrache le carnet des mains. J'ai envie de la pousser, de lui crier après, d'envoyer ZEUS faire ses BESOINS dans son lit… La colère monte, on dirait un orage bouillonnant dans mon ventre.

— Je m'excuse, Alexis. Je ne voulais pas le lire. Je pensais que c'était le mien…

— PFF! C'est ça, menteuse !

— Attends-moi ici.

Puis, elle part en COURANT ! Elle pense vraiment que je vais attendre ? Je ne suis pas un Chien, moi !

Je la suis jusqu'à sa chambre. Elle fouille dans tous ses tiroirs, en murmurant « Mais où il est ? ».

C'est normal, qu'elle ne le trouve pas !

Il n'existe juste pas, son fichu

CARNET NO...

Ah oui, il EXISTE.

Léa s'approche de moi et me le tend.

— Tu veux que je fasse quoi, avec ÇA ?

— Tu peux en lire une page, me dit-elle. Comme ça, ça va être égal.

Égal, je ne crois pas. Mais j'ai toujours voulu savoir ce qui se passait dans la tête d'une fille...

J'ouvre le carnet au hasard, près du centre.

Ça y est! Je vais danser, je vais voler! Casse-Noisette, j'arrive!

Aujourd'hui, ça devrait être le plus beau jour de ma vie. Je vais participer au ballet Casse-Noisette! Le rêve de toutes les ballerines! J'ai eu le rôle, mais pas parce que je suis la meilleure. Non, c'est seulement parce que Vero s'est blessée. Je suis juste un deuxième choix…

Bon, ça suffit, Léa! Souris! Tu as deux pieds en santé, toi!

Je regarde Léa en fronçant les sourcils.

— Tu as joué dans un ballet ?

— Oui.

— C'est teeeeellement un truc de filles !

Elle reprend son journal d'un geste brusque. Voyons… Ses joues sont roses. Est-ce que je l'ai GÊNÉE ? ? ?

Je suis allé au parc avec Damien et, quand je suis revenu, j'ai trouvé les jumelles au beau milieu d'une nouvelle folie. Laquelle ? Elles essayaient de montrer à Zeus une chorégraphie. N'IMPORTE QUOI ! C'est un chien, pas un danseur ! Il ne fait pas de ballet, lui !

Après le souper, je file comme un ÉCLAIR dehors avec lui. Na-na-na-na-naaaaa ! Je me sauve de la vaisselle, sous les regards meur-tri-ers des jumelles.

Pendant que je cherche une balle de tennis dans le gazon, je sens Zeus qui me dépasse en coup de vent. Il va eeeeencore s'arrêter **brusquement**, au bout de sa laisse. Et il va eeeeencore **PLEURER**, en essayant de s'éloigner d'un minicentimètre de plus ! Il n'apprendra jamais !

Je finis par trouver la **balle** et je la montre à…

— *ZEUS* ? ! Viens ici, mon **Chien** !

Rien. Pas un son. D'habitude, il me rejoint en ***COURANT*** dès que je l'appelle. Je suis du regard sa laisse et…

MINCE ALORS !

Chapitre 16

C'est la fin du monde !

Il n'est plus là ! ZEUS a disparu !

Eh pirouette de cacahouète de baleine à claquettes !

J'ai perdu le chien !

– ZEUS !

C'est la panique ! Je COURS en rond dans la cour en l'appelant. Je **crie**, je le SUPPLIE, je me mets même à **japper** ! Rien à faire. Il n'est plus sur le terrain. Mais… il y a un trou sous la clôture. Je ne l'avais jamais remarqué avant. Je m'approche, les mains dans les poches. Tout en subtilité, **Alexis**. Reste subtil…

Sur le bord du trou, il y a des traces de griffes. Et…

Des poils dorés.

ZEUS est passé par là.

De l'autre côté, c'est la maison de madame Chat, une vieille vraiment bizarre. On dirait une sorcière, parce qu'elle marche le dos courbé et qu'elle a une grosse bosse sur le bout du nez. En plus, elle doit bien avoir dix mille chats et…

DES CHATS !

Je me mets sur la pointe des pieds pour essayer de voir

par-dessus la clôture. Je suis juste un peu trop petit ! Je recule pour prendre un élan et…

Je saute !

J'arrive à m'accrocher avec mes bras. Mais je ne serai pas capable de rester en l'air bien longtemps. Je balaie la cour de madame Chat du regard. Pas là, pas là, pas…

Là !

Une boule de poils dorés qui **COURT** !

—Zeus ! que je chuchote.

Ben non. Il n'allait quand même pas revenir aussi facilement ! Il gambade au loin, tout **heureux**. Je crois qu'il a quelque chose dans la gueule. Il se rapproche…

BAM.

Mes bras m'ont lâché. On dirait deux spaghettis tout mous ! Je les secoue pour diminuer les crampes en retournant sur la galerie. Peut-être que j'arriverai à le voir de là.

Effectivement, je l'aperçois. Il revient dans la cour des jumelles. PAR LE FICHU TROU SOUS LA CLÔTURE !

Je crois reconnaître la forme dans sa gueule… J'ai l'impression que mes yeux   vont sortir de ma tête. Oh non, il ne peut pas avoir fait ÇA !

Juste au pied des marches, ZEUS ouvre les mâchoires. Puis, il secoue la queue et s'assoit à côté… du CADAVRE de monsieur JEAN, le chat préféré de la sorcière.

— LES JUMELLES !

Chapitre 17

Espions russes

Cris, LARMES et SUPPLICATIONS.

Voilà la réaction des jumelles ! Heureusement que j'étais là, sinon elles auraient ouvert leur grande bouche de Brochet ! Elles auraient avoué à madame Chat que ZEUS a TUÉ son précieux petit monsieur JEAN ! Folle comme elle l'est, la sorcière aurait obligé ZEUS à faire le bouche-à-bouche au MORT pour le ramener à la vie. Ou elle nous aurait jeté une malédiction ! Abracadabra, vous vous couvrirez de poils de chat !

Pour le moment, le cadavre est caché sous la galerie des deux filles. Je ne crois pas qu'on pourra le laisser là longtemps. Il va falloir que je trouve une solution, et VITE !

HUM... Comment faire croire que monsieur JEAN est mort tout seul ?

Le lundi après-midi, nous avons une période pour travailler sur notre projet passion. Tout le monde se met à faire des trucs inutiles, sauf...

Moi.

Grâce à mon bon comportement de la semaine dernière, j'ai le droit d'utiliser l'ordinateur de la classe pendant une heure. J'essaie de tourner l'écran pour que madame Geneviève ne voie pas mes recherches. Il bouge d'un demi-quart de huitième de millimètre. HMM. Je vais devoir faire VITE.

J'écris quelques mots et, en appuyant sur « Entrer », j'ai l'impression d'être un espion russe.

J'ai tombé en amour avec une espionne russe…

Ah, non ! Pas de ça ! Concentration, **Alexis**.

« PRINCIPALES SOURCES D'ACCIDENT CHEZ LE CHAT »

Pendant que le premier lien se charge, une main se pose sur mon épaule. **AAAAAAAAAAAAH !** Je me retourne. **OUF**, c'est seulement Léa ! Peut-être que c'est elle, l'espionne russe de la chanson ?

— Qu'est-ce que tu veux, **Jumelle numéro deux** ?

— Si tu m'appelles encore **UNE** fois comme ça, je ne t'aide plus. *Capice ?*

WOOOOW, quelle mouche l'a piquée ? Léa ne réplique JAMAIS aux autres !

— OK. Tu peux écrire si tu veux.

Je n'ai pas besoin d'aide, mais… madame Geneviève commence à rôder dans le coin. Tout seul, je ne serai JAMAIS assez **RAPIDE**. Si jamais notre enseignante découvre ce qu'on a fait, elle va le dire à madame Chat ! C'est sûr et certain, elles sont VOISINES !

Après vingt minutes (et plusieurs minicrises cardiaques quand notre prof approchait trop), voici ce que nous avons trouvé :

Les principales sources d'accident chez le chat sont :

- Le choc avec une voiture, surtout pour les chats qui sortent la nuit.
- La CHUTE d'un balcon ou d'un toit.
- Les brûlures ou les décharges ÉLECTRIQUES.
- L'empoisonnement.

- Manger du chocolat : peut causer des crises épileptiques.
- Les toilettes : on se désaltère dans la cuvette, mais ce péché mignon risque de voir petit chaton glisser et se NOYER (curiosité égale parfois danger).
- Les plantes : mâchouiller du muguet, c'est TOXIQUE !
- Les machines à laver : quel endroit confortable pour se *reposer*... mais gare aux oublis !

Méthode choisie : ?

— On ramasse, tout le monde ! Vous avez votre COURS D'ÉDUC dans cinq minutes.

Léa plie soigneusement la feuille. C'est loooooong ! Elle finit par me la donner. Juste avant d'aller en rang, elle chuchote :

— On continuera d'en parler en rentrant à la maison.

Sur le chemin du retour, Léa attend que Damien soit parti de son côté avant de m'approcher. Jumelle numéro un, Clara, reste toute seule derrière. HA ! HA ! Léa fronce le nez.

— Tu PUES, Alexis.

— Non, même pas vrai !

— Oui !

— C'est parce que j'étais vraiment bon durant la COURSE !

— Si tu veux ! OK… Qu'est-ce qu'on fait, pour monsieur JEAN ?

Monsieur JEAN = chat sous la galerie.

— J'ai un PLAN.

— Qu'est-ce que c'est ?

— Pas question que je te le dise ! Tu vas aller tout BAVASSER à ta jumelle.

— Je suis capable de garder un SECRET, tu sauras !

— Parle moins fort ! Elle est juste derrière nous.

Léa commence à marcher plus VITE pour s'éloigner. On dirait

que je l'ai fâchée. NOOOOON !

Je vais avoir besoin d'elle pour

me débarrasser de Clara ce soir...

— Attends, je...

Je sens mon visage se tordre et

se friper comme la peau des vieux

quand je prononce...

— Désolé.

C'est comme si j'étais allergique

à ce mot ! Léa paraît mégasurprise.

Moi aussi... J'ai dit ça pour vrai ???

Elle me laisse la rattraper.

Je lui explique mon PLAN,

même si je garde deux ou trois

détails pour moi. Au cas où, PAR HASARD, elle ouvrirait sa grande bouche de Brochet !

— Il va falloir que tu partes avec ta jumelle. Vous pourriez aller au parc à Chiens. Pendant ce temps…

Elle n'aime pas ça. Ça se sent, comme les restes de collations décomposés de Léo (il les garde dans le fond de sa case, ARCHIBEURK !).

— On n'a pas le choix, que j'insiste. On ne va quand même pas garder ce chat sous la galerie pour toujours ! Ça va PUER, puis des VERS vont apparaître. Ensuite, les vautours viendront picosser ses os !

Ça lui en bouche un coin.

Toujours derrière nous, Clara fait du gros boudin ! On dirait bien qu'elle n'apprécie pas du tout le fait que sa jumelle se fasse des amis.

EUH...

Est-ce que je viens vraiment de considérer Léa comme une amie ?

Chapitre 18

Mission : Mitaines de four

David et Sooyoung sont à une partie de HOCKEY, c'est pour ça que je reste chez les jumelles, même un jour de semaine. Ils vont sûrement revenir tard, j'ai donc le champ complètement libre ! En plus, ils nous ont commandé une pizza, MIAAAAAM ! Le père des jumelles doit passer tantôt. Ça, par contre, ça vient compliquer mon plan. Je dois VRAIMENT agir VITE !

Léa a réussi à attirer sa sœur au parc à chiens, comme prévu. Je frotte mes mains ensemble, tel le vilain dans les films D'HORREUR. À nous deux, monsieur JEAN !

Je vais voir sous la galerie. POUAAAAAH ! Mais qu'est-ce qu'il pue ! C'est hyper DÉGUEU, mais je n'ai pas le choix. Ce n'est certainement pas les jumelles «ah non, un grain de sable sur ma robe» qui vont s'en occuper !

Je cours chercher des gants dans la garde-robe. Je fouille, et fouille, et fouille, et fouille…

Mais qui fait DISPARAÎTRE les vêtements d'hiver en avril ???

OK, deuxième option, **Alexis**.

Juste à côté du four, il y a les deux grosses mitaines pour sortir les plats chauds. Elles font très **fi-fille**, avec leurs dessins de **chats**.

Ce voisinage est fouuuu !

Je prends les mitaines et je les enfile. Voilà, je suis prêt pour la **guerre**.

— À nous deux, monsieur **JEAN** !

BEURK!

BEURK!

BEURK!

Nouvelle chanson en trois vers, signée Alexis Gélinas. Le chat est mou, son collier est plein de boue, et ne parlons pas de L'ODEUR ! Je sens que je vais VOMIR...

Je me promène entre les deux terrains le dos courbé, en regardant tout autour. Personne en vue. Je transporte le MORT jusqu'au perron de madame Chat, puis je prends le collier. Enfin... J'essaie.

Mais, avec les grosses mitaines de four, ce n'est pas facile. Même que… c'est **IM-POS-SI-BLE !**

Je regarde autour de moi, mais il n'y a rien pour m'aider.

BON.

À la une, à la deux… À la trois !

Je jette les mitaines dans les plates-bandes. Je prends le collier et le glisse dans le grillage du balcon, tout tortillé autour du cou de monsieur JEAN.

Je me recule d'un pas pour observer la mise en scène. Le chat a vraiment l'air d'être MORT tout seul.

Parfait ! Maintenant…

JE COURS ME LAVER LES MAINS !

Chapitre 19

Abracadabraaaa, tu revivras !

Le lendemain matin, c'est la PANIQUE. La cohue, la folie, le tumulte, l'apocalypse ! Madame Chat a dû réveiller toute la population du Québec ! Et même du Canada, à mon avis.

Coucou, la Chine ! Avez-vous entendu madame Chat ?

Elle doit avoir trouvé le chat pendu par mes soins. Elle va penser qu'il est mort par accident et laisser ZEUS tranquille ! **Génial !**

Les jumelles et moi sommes les trois le nez collé sur la fenêtre, à observer le voisinage. Tout le monde sort de sa maison, les yeux pas encore tout à fait ouverts et la trace de l'oreiller sur la joue.

Il faut que j'aille voir !

— Non, Alexis, n'y va pas !

Léa et moi, on échange un regard. Pas question que je reste à l'intérieur. Et encore moins que j'écoute Clara !

En moins de deux, je file dehors.

Finalement, tout est bien qui finit bien avec cette aventure abracadabrante ! Pourquoi ? ZEUS n'a *vraiment* pas tué monsieur JEAN ! Non, ce gros chat est mort d'une crise cardiaque il y a quatre jours. Madame Chat lui avait creusé une tombe dans sa cour, et ZEUS l'a seulement déterré. Il me semblait, aussi, que ce chien était trop maladroit pour être un meurtrier !

Il y a un seul petit bémol…

Clara tient malgré tout à dire la vérité ! Elle ne supporte pas que madame Chat passe pour une folle (la VIEILLE répète à gauche et à droite que son chat a ressuscité... Bien voyons !). Clara a failli ouvrir sa trappe devant tout le monde !

Ç'aurait été la CA-TA-STRO-PHE ! Heureusement, j'ai réussi à la traîner à l'écart. Je lui ai bien rentré dans le crâne qu'il fallait garder ce secret pour toujours.

Enfin... je l'espère.

Chapitre 20

Pas ENCORE ?

Le Chien

La course des CHAMPIONS approche. Je me suis mis à m'entraîner à **1000 %** ! Tous les soirs, je vais courir dehors. J'arrête souvent au parc près de chez David. Il y a plein de modules super COOL pour faire des EXERCICES. Ça m'aide pour ma coordination, et donc pour les obstacles. David vient parfois avec moi. J'ai l'impression qu'on s'entend pas mal **bien**...

En revenant de ma COURSE, j'envoie un courriel à JEAN (le compositeur-joueur-de-guitare-ami-de-madame-Maria, pas le chat-revenu-à-la-vie). J'ai écrit un texte durant le cours de madame Geneviève et j'ai envie d'avoir son avis.

BING! Déjà, j'ai sa réponse. Je clique sur le message, et...

Pour avoir son avis, je l'ai eu ! Pas de doute là-dessus ! Il n'a pas hésité à souligner les points faibles de ma composition. Ils sont tous là, énumérés l'un après l'autre.

Je commence à voir rouge. Tellement que je ne finis pas ma lecture. Je clique sur « Répondre » et je me lance. Je tape si fort sur les touches CLAC CLAC CLAC, on jurerait que je vais briser le clavier.

« Envoyer ».

Je deviens calme, tout à coup. Comme si les lettres avaient détruit ma colère. Ouin. J'ai vraiment écrit des mots méchants. Je ne peux quand même pas rester fâché, pour une fois qu'on me dit les vraies affaires !

VITE ! Je me mets à rédiger un nouveau message.

Je m'excuse, Jean. Je n'ai pas réfléchi. Tu es gentil de prendre le temps de lire ce que je t'envoie. J'espère que tu ne m'en veux pas (et que tu continueras de me répondre, parce que j'aime trop les conseils que tu me donnes !).
Ton ami,
Alexis

BING ! Voyons, il écrit à la VITESSE de la lumière ! Je l'imagine, les doigts tendus au-dessus de son clavier. Juste un petit éclair, et les phrases apparaissent aussitôt à l'écran !

JEAN m'a renvoyé plusieurs « Ha ! Ha ! Ha ! ».

Puis, il m'explique que ça lui arrive, à lui aussi, de dire des choses qui dépassent sa pensée.

Il me demande si David m'a inscrit au **camp musical** où il est animateur. Je lui réponds que je ne le sais pas. Il faudrait que j'en reparle à mon tuteur. En attendant qu'il revienne de travailler, je vais sur le site Internet et… ç'a l'air teeeeellement **COOL!** Il y a plein de photos de jeunes dehors. Et ils ne font pas que de la **musique** ! On les voit en canoë, à la plage, en train de jouer au frisbee. J'espère que David me laissera y aller !

La porte d'entrée claque et je ferme rapidement l'ordinateur.

— **ALEXIS** !

Ah non, qu'est-ce qu'elles me veulent, **ENCORE ? ? ?**

J'entends les jumelles courir jusqu'au bureau. Clara est tout énervée, elle a oublié de détacher la laisse de Zeus en entrant ! Le pauvre, on dirait une moppe, ainsi traîné au sol !

— C'estpasmafauteAlexiselleafait çatouteseule !

Les mots **DÉGRINGOLENT** de la bouche de Léa. Je n'ai rien compris ! Clara lui donne un petit coup de coude avant de rallumer l'ordinateur.

— J'ai parlé à madame Geneviève du chat de la voisine, m'annonce-t-elle.

Oh, nom des dieux des Olympiques ! ON. EST. FICHUS.

— Mais pourquoi ! ? Plus personne ne se rappelait cet épisode !

— **MOI**, je m'en souviens ! qu'elle réplique. C'est bien assez. Maintenant, tasse-toi.

Elle essaie de me pousser en bas de la chaise. Comme si elle était assez forte !

— Je ne bougerai pas.

— Arrête de faire ton bébé, Alexis Gélinas !

— Dis-moi ce que tu veux avant.

— On va envoyer une lettre d'excuses à la voisine. Sauf qu'on ne l'écrira pas comme si elle venait de nous, mais comme si c'était Zeus qui parlait. C'est génial, non ?

— Ce sera génial seulement si c'est moi qui la compose.

Clara arrête aussitôt d'essayer de me faire tomber. Elle me regarde avec des yeux ronds comme les anneaux olympiques (les profs et leur THÉMATIQUE… C'est en train de m'envahir !).

Les jumelles échangent un coup d'œil avant d'accepter. Elles tirent l'autre chaise de la pièce et s'y assoient, collées-collées.

Trois, deux, un…

On est partis !

PARS, COURS!
BOUGER POUR VIVRE!

Chapitre 21

Les GRANDS GAGNANTS

Le problème de madame Chat étant (**FINALEMENT**) réglé, il est temps de participer à la **COURSE** !

Oui, c'est enfin aujourd'hui ! Je vais leur montrer que je suis le **meilleur** ! Je pars de la maison en **COURANT**. J'ai déjà mis mes souliers **SPORT** et un chandail en polyester (c'est un tissu qui permet à la transpiration de sécher super facilement : parfait pour le parcours !).

Quand je rejoins **Damien** sur le terrain de l'école, on a la même réaction.

C'EST. GÉNIAL !

Notre cour est complètement **transformée** ! Il y a des obstacles partout, et des surveillants tout autour pour que les élèves ne puissent pas ENTRER avant le temps. Je me déplace près des rubans rouges avec mon ami.

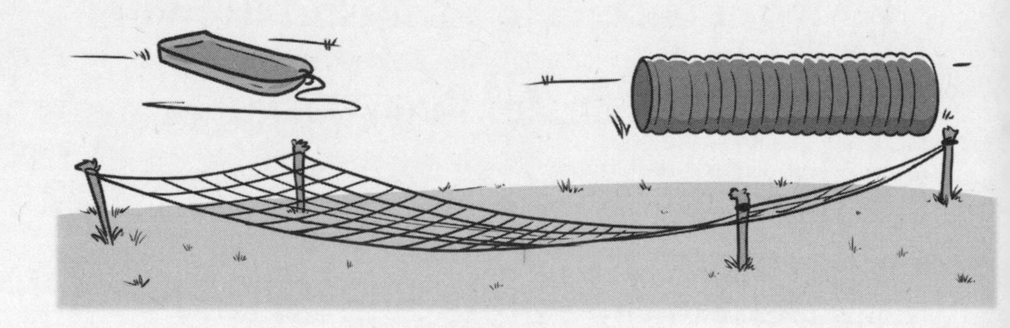

— Regarde le filet ! Les jumelles vont CA-PO-TER ! ricane **Damien**.

C'est mon tour de rigoler :

— « **Ah, noooon ! Pas de la terre sur ma nouvelle combinaison rose ultraélastique plus que propre !** »

Je me promène en **sautillant**, les mains dans les airs, pour imiter les jumelles. On rit, puis **Damien** redirige son attention sur le **PARCOURS**. Je le connais, il meurt d'envie de l'essayer.

— Pas *game* d'y aller sans **AUTORISATION**.

— Trèèèès *game* ! s'exclame-t-il.

Je crois qu'il y serait allé pour vrai si la cloche n'avait pas sonné. Dommage ! Il se reprendra à la récréation !

En entrant dans l'école, j'entends mon nom. C'est madame Maria.

— **Alexis**, peux-tu venir me voir, s'il te plaît ?

Et manquer une période ? Pas de PROBLÈME !

Je quitte le rang pour la suivre dans son bureau. Elle aussi est habillée **SPORT**, même si elle a gardé ses bijoux colorés. Ça lui donne un style **différent**, mais j'ai bien l'impression qu'elle n'en a rien à faire. Je crois que c'est pour ça qu'elle est si COOL et que tout le monde l'aime.

Elle ne s'assoit pas, aujourd'hui. Elle reste debout et me sourit.

— Tu as beaucoup amélioré ton comportement cette année, **Alexis**. Je suis vraiment *fière* de toi.

Je ne sais pas quoi répondre. Je marmonne un « merci » en regardant au sol.

— Aimerais-tu faire partie de l'escouade d'aide ?

Tu pourrais rester dehors toute la journée et aider les plus jeunes à franchir le PARCOURS. Est-ce que ça te tente ?

— **OUIII !!!** Euh… Je veux dire… bien sûr !

Elle rit et m'entraîne à l'extérieur. Madame Geneviève est déjà au courant ; c'est même elle qui a proposé mon nom. Ça me fait vraiment **drôle**… mais **drôle** dans le bon sens !

Les organisateurs nous présentent le CIRCUIT et nous indiquent nos rôles pour la journée. On va devoir se déplacer tout autour des enfants et venir à leur RESCOUSSE lorsqu'ils auront de la difficulté. PFF! Facile !

Les plus jeunes de l'école arrivent. Ils regardent les installations avec de grands yeux. Il y a même un des bébés de maternelle qui se met à PLEURER au moment du départ ! Ben voyons ! Heureusement que sa mère n'est pas là, elle aurait accouru pour lui donner le biberon !

Une fillette aux lulus brunes est bloquée à l'obstacle des pyramides. C'est le premier ! Elle risque de trouver la COURSE longue…

BAM ! L'éclair de génie !

Je pourrais aller lui prêter main-forte. C'est bien pour ça que je suis là, après tout ! En plus, madame Maria serait contente.

Je m'avance vers elle et… AH NON ! Pas vrai ! C'est Maorie, la petite maudite qui m'a écrasé le pied !

Je commence à rebrousser chemin, puis je me rappelle…

Je me rappelle comment je me suis senti quand madame Maria a remarqué mes progrès. Quand madame Geneviève a dit être fière de moi. Quand JEAN a complimenté mes compositions. Quand David m'a assuré que j'étais IMPORTANT. Quand Léa a ri avec moi…

J'ai envie que les gens me REMARQUENT. Mais pas parce que je fais plein de niaiseries.

J'entends un gros **CRUUUUNCH.** Je regarde au sol. Ah oui, c'était mon orgueil.

Je m'approche à **nouveau** de l'obstacle.

— Tu veux de l'aide ?

— Non ! Je suis capable !

Maorie recule encore une fois, puis se met à **COURIR**. Elle est capable de **GLISSER** et de se retrouver par terre, oui !

— Je. Suis. Capable !

— Non. Tu. N'es. Pas. Capable.

Elle me regarde comme si elle allait m'écrabouiller le pied à nouveau. Ah non ! Pas cette fois ! Je la retiens loin de moi par les épaules. Quand elle est calmée, je pose un genou au sol. Je croise les doigts devant moi pour lui faire la courte échelle.

— Mets ton pied sur mes mains. Tu vas pouvoir passer par-dessus la PYRAMIDE.

Saperlipopette ! Elle m'écoute ! Et devinez quoi ? Elle réussit !

— **Génial !** Viens, on continue.

Je la suis dans tous les OBSTACLES. C'est looooong ! On se fait dépasser par des élèves qui en sont déjà à leur deuxième tour. C'est clair que c'est nous, les grands perdants de la COURSE !

Maorie n'a même pas l'air de s'en rendre compte. Elle est SUUUUPER concentrée à chaque étape. Pour les plus difficiles, elle tire même la langue. La VITESSE des autres, ça ne semble avoir aucune importance pour elle.

Je pense que je comprends…

Maorie s'en fout, des autres.

Tout ce qu'elle veut, c'est terminer la COURSE.

Elle veut réussir pour elle. Uniquement pour elle.

À chaque difficulté franchie, elle me regarde. Chacun de mes encouragements la fait

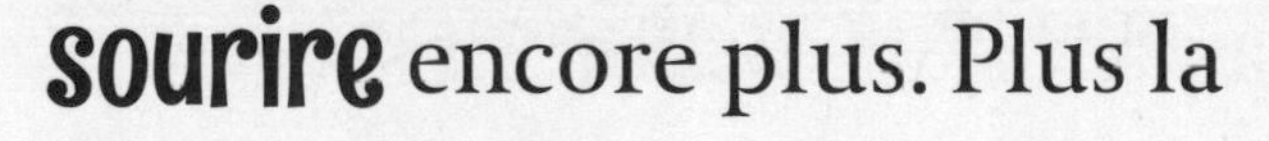

sourire encore plus. Plus la COURSE avance, plus je la vois prendre confiance en elle. Elle ne se laisse jamais impressionner.

Lorsqu'on passe la ligne d'arrivée, elle a les yeux qui brillent ! Elle se met à **rire** et à sauter partout. Elle a fini dernière et sa classe se prépare à retourner à l'intérieur.

Maorie enroule ses bras autour de ma taille. Est-ce que... Est-ce qu'elle me donne un **câlin** ?

— Merci beaucoup à l'infini fois mille !

Puis, elle repart en **gambadant** vers son groupe. Moi aussi, je souris.

Finalement, on n'est pas les PERDANTS. Je dirais même qu'on est les grands gagnants !

Chapitre 22

Un, deux, trois... *GO*!

YÉ !
WOOHO

C'est mon tour ! Enfin, je vais montrer à tout le monde qu'Alexis Gélinas est le sixième année le plus RAPIDE, le plus agile, le plus incroyable de l'école Sainte-Marie !

Léo et madame Claire, la directrice, y vont en premier. À la dernière seconde, le gros la dépasse et il remporte la COURSE. Quelle victoire ! Ça paraît que notre directrice a fait exprès de se prendre les pieds dans le filet. J'entends Damien rire… mais je sais que c'est juste dans ma tête, parce qu'il est tombé sur le parcours durant l'heure du dîner. Oui, oui, il a été très *game* ! Tellement que c'est l'ambulance  qui est venue le chercher ! C'était même trop GRAVE pour miss Kathy, son paquet de glace et… ses souliers de COURSE ? ? ?

C'est à moi. Je suis prêt. Plus que prêt. Je cours contre Le-nerd et *Alice*. J'ai entendu dire qu'ils s'étaient beaucoup ENTRAÎNÉS cette année. Pas assez pour être meilleurs que moi, quand même !

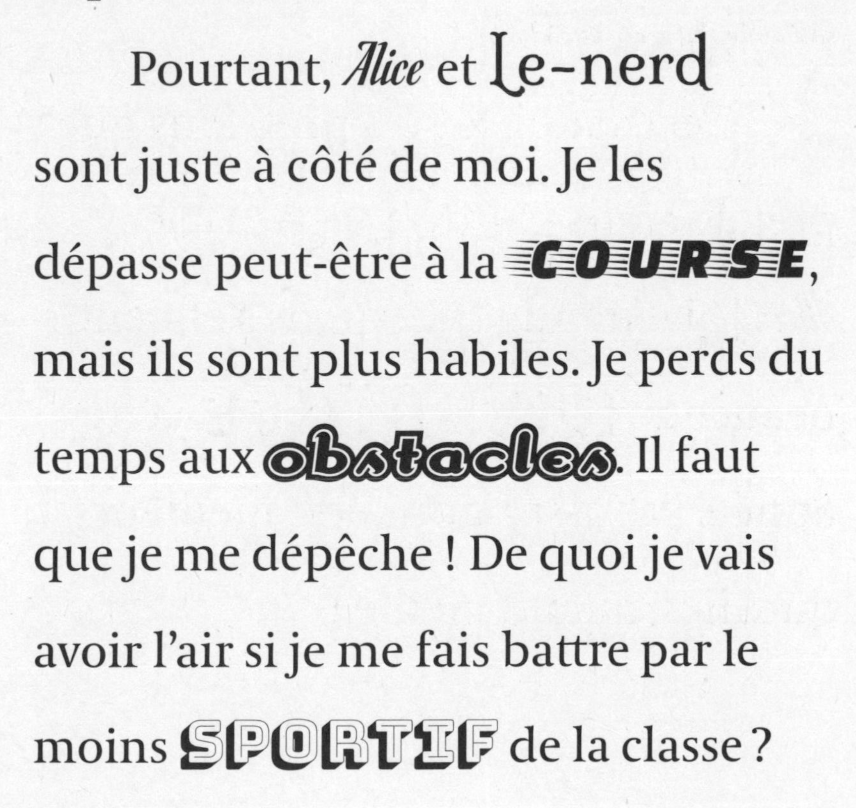

POW ! C'est un départ ! Je suis VITE comme l'éclair, personne ne pourra me rattraper ! Et pourtant…

Pourtant, *Alice* et Le-nerd sont juste à côté de moi. Je les dépasse peut-être à la COURSE, mais ils sont plus habiles. Je perds du temps aux obstacles. Il faut que je me dépêche ! De quoi je vais avoir l'air si je me fais battre par le moins SPORTIF de la classe ?

Je cours, je **SPRINTE** vers le mur d'escalade. Je **saute** par-dessus, mais trop **RAPIDEMENT**. Je perds le contrôle. Mon pied ne passe pas comme il faut. Il reste pris de l'autre côté. Je **TOMBEEEEE**...

Aïe !

Ça y est, c'est fini ! Je viens de perdre. POURQUOIIIIII ? Ç'aurait dû être super facile !

Je n'ai pas le temps de m'asseoir que le gros est à côté de moi.

— Ça va ?

Je ne réponds pas. Il me tend la main pour m'aider à me remettre debout. Vraiment ? Je n'ai pas besoin d'aide !

Puis, je repense à Maorie. Elle non plus, elle n'avait « pas » besoin d'aide. Mais, sans moi, elle n'aurait pas été capable de franchir le PARCOURS.

Parfois, il faut être deux pour réussir.

Je prends la main du gr… de Léo et me relève. Je marmonne

un « merci », à lui, mais aussi à Alice et à Lenny, qui se sont arrêtés pour voir si j'allais bien.

C'est reparti !

J'ai beau donner tout ce que j'ai, ce n'est pas assez. J'ai des fourmis dans la cheville, ça me ralentit. Je ne suis pas capable de dépasser mes ADVERSAIRES. Pourtant, j'essaie...

J'essaie, j'essaie, j'essaie !

On vient de passer le filet à grimper, le dernier OBSTACLE. Il reste une toute petite minicourse de rien du tout avant la ligne d'arrivée !

Je COURS, je COURS, je…

Perds ? Quoi ? J'ai perdu contre *eux* ?

La colère monte, elle bout, elle va EXPLOSER…

Je jette un coup d'œil vers l'école. Une petite fille a le visage écrasé sur l'une des fenêtres. C'est Maorie. Elle m'envoie la main, puis fait un pouce en l'air. Elle colle un carton dans la vitre.

« Bravo ! »

Je me calme d'un coup.

Je n'ai pas **perdu**. Enfin, pas tellement. J'ai acquis une grande maîtrise de mes actions et ça, ce n'est pas rien.

J'adresse un large **sourire** à Maorie.

Oui, en fin de compte, c'est moi qui ai gagné.

Chapitre 23

Ce n'est pas fini, ce n'est qu'un début !

Dernière journée de primaire

À VIE !

Adiós, los amigos !

Les cours de l'après-midi ont été annulés, parce que « quelqu'un » (non, je ne sais vraiment pas de qui il s'agit...) a déclenché l'alarme d'incendie. Tout le monde était dehors, les profs n'avaient aucun CONTRÔLE sur nous ! Après le départ des pompiers, personne n'est retourné en classe. C'était bien plus **amusant** de rester dans la cour !

La cloche a sonné. Les autres élèves de sixième année et moi, on a lancé nos chapeaux et nos casquettes en l'air. C'est fini, l'école des bébés ! L'an prochain, on va être enfin grands !

Je repère David dans le stationnement. Tiens, c'est bizarre, ça… Il ne vient jamais me chercher, d'habitude.

— Alors, Alexis ? Tu as passé une belle dernière journée ?

— Super !

— Viens, on va faire un tour.

Je m'installe dans la voiture et il démarre.

— On n'attend pas les jumelles ? Je croyais qu'on allait chez elles.

David me regarde et secoue la tête.

— Non, ce soir, ce n'est que **toi et moi**.

Je ne réponds rien. Il a l'air **bizarre**. Il tourne souvent les yeux vers moi, ses doigts tapent sur le volant... Il est **nerveux** ! **OH ! OH !** Pourquoi il est **nerveux** ? Est-ce qu'il va m'annoncer que c'est fini, que je ne fais plus partie de sa famille ? Est-ce qu'il va m'abandonner, lui aussi ?

BAM BAM BAM.

J'ai le cœur ♥ qui bat si fort, j'ai l'impression qu'il va sortir de mon corps !

— Il y a quelque chose de très IMPORTANT dont je veux te parler, Alexis.

Non, non, non, non, non, non, non...

Il s'arrête dans le stationnement de mon restaurant préféré. Que se passe-t-il ?

— Je voudrais t'adopter. Officiellement, et pour toujours. Qu'est-ce que tu en penses ?

Je me détache et lui **saute** dans les bras. **HMM**, assez difficile à faire, dans cette petite voiture !

— Oui ! Oui, oui, **OUI !**

— Je t'aime, mon fils.

OH LÀ LÀ... On dirait que je vais m'envoler !

Je crois que je ne lui confierai pas que c'est moi qui ai déclenché l'alarme d'incendie...

Remerciements

J'ai tellement de mercis à donner, je ne sais même pas par où commencer !

Merci à la belle équipe des Mortagnettes, vous êtes incroyables !

Merci à la *team Pars, cours !* de m'avoir accueillie (même si je me suis un peu incrustée…).

Merci, Aimée, de rire de mes jokes parfois (OK, souvent) poches.

Mais surtout…

Merci à mon petit frère
Maxime, pour toute l'inspiration.
C'est mon petit Alexis à moi. Tu es
incroyable(ment tannant 😉).
Je sais que tu iras loin dans la vie.
Tu es un amour. Je t'aime tout plein.

Émilie Lussier
illustré par Manuella Côté

PARS, COURS !

EXTRAIT

Chapitre 1

Miss Kathy

Click-a-ta-clock-a-ta-click-a-ta-clock-a-ta-click-a-ta-clock...

Les pas de miss Kathy résonnent dans le corridor. Plus elle se rapproche de notre classe, plus je serre les fesses et redresse le dos. Tout le monde le sait : lorsque notre secrétaire sort de son bureau, c'est MAUVAIS signe... Pour les messages habituels, comme le retard d'un élève ou une récréation à l'intérieur, elle utilise l'interphone. C'est plus RAPIDE, plus efficace.

L'an dernier, lorsqu'elle nous a visités, c'était pour nous présenter Damien Langlois. Il CHANGEAIT d'école en milieu d'année, pour une raison de proximité géographique. Mon œil ! Le premier lundi, il a fait paniquer notre surveillante de dîner en commençant une bataille de carottes naines. Le mardi, il a mis du sel dans le café de notre enseignante. Le mercredi, il a fait déborder les URINOIRS des toilettes du deuxième cycle. Le jeudi, notre classe était devenue un vrai ZOO.

Des remplaçantes se sont succédé toute la semaine. Alors, le vendredi, tout le monde avait compris la vraie raison de son changement d'école :

Quelle AFFREUSE nouvelle miss Kathy vient-elle nous annoncer cette fois-ci ? Une fermeture d'école jusqu'à la fin de l'année ? L'**effondrement** possible du toit à cause de tous les projectiles qu'on y a lancés ? Une épidémie de poux INDESTRUCTIBLES ?

La secrétaire entre gracieusement dans la classe. Du haut de ses talons, elle nous salue.

— *Morning, kids !* Désolée de vous interrompre.

Miss Kathy est anglophone. On doit l'appeler « miss » au lieu de « madame » et elle nous parle souvent en anglais. Même si elle est **parfaitement bilingue**, elle a un **gros** accent quand elle s'exprime en français. On aime bien s'en moquer… gentiment !

La secrétaire s'arrête, pose les yeux sur nous. Elle a beau avoir le regard **doux**, c'est tellement rare qu'elle vienne dans la classe qu'on dirait qu'elle épie le groupe en cherchant sa prochaine victime.

Madame Geneviève prend la parole et écourte ce supplice :

— Bonjour, miss Kathy, nous venons tout juste de terminer les mathématiques, que nous vaut votre visite ?

La secrétaire demande nerveusement à s'entretenir avec notre enseignante un instant. Madame Geneviève s'adresse à nous :

— Les élèves, prenez vos livres. Lecture personnelle, j'en ai pour une minute.

Par la porte entrouverte, on les entend chuchoter pendant qu'on fait tous semblant de lire.

Alexis profite de l'absence de surveillance pour me catapulter une boule de papier. Je me retourne, surpris d'être la cible de ses attaques. Il a plutôt l'habitude de s'en prendre à Lenny, « Le-nerd », ou Léo, le gros. Il me fait signe de regarder le papier. C'est le PLAN de match pour la partie de soccer contre l'équipe de sixième année qui aura lieu à la prochaine récréation.

Je lui fais un clin d'œil complice. Au même moment, notre enseignante réapparaît devant la porte.

— **Félix !**

Tous les yeux se tournent vers moi. **Catastrophe !** Madame Geneviève m'a attrapé avec le papier d'Alexis dans les mains.

— Tu vas suivre miss Kathy. Rosalie ira te porter ton sac, ta boîte à lunch et tes vêtements.

Quoi ? Pourtant, ce n'est pas si grave, un clin d'œil !

Je ne dis pas un mot. Alexis affiche un air vaincu, sa revanche au soccer sur l'autre classe devra attendre. Je me lève et suis les click-a-ta-clock-a-ta-click-a-ta-clock-a-ta-click-a-ta-clock! dans le long corridor. Le regard fixé sur ses souliers à talons hauts, je remarque pour la première fois un étrange tatouage sur la cheville droite de notre secrétaire.

Dans ma tête, les questions s'enchaînent : **POURQUOI** madame Geneviève m'envoie-t-elle chez la secrétaire pour un clin d'œil ? Pourquoi **Rosalie** doit-elle m'apporter mes effets personnels ? Est-ce que je retournerai dans ma classe ?

Mon **cœur** se resserre au son de chaque coup de talon de miss Kathy.

J'ai le vertige.

Le même que quand j'entends grincer sur les rails les roues d'un manège, qui monte la pente avant de me laisser tomber dans le vide. Est-ce que je vais tomber dans le vide ?

Click-a-ta-clock-a-ta-click-a-ta-clock-a-ta-click-a-ta-clock!

Chapitre 2

Oh ! Lord !

Je suis assis dans le bureau de
miss Kathy et j'attends que quelqu'un,
enfin, me dise **POURQUOI** je suis
ici. Le temps s'est arrêté, je ne sais
plus depuis quand je suis là.
Le visage de la secrétaire est presque
aussi rouge que ses cheveux.
Visiblement, elle est contrariée.
Est-ce à cause de moi ? Je réfléchis :
je ne peux pas être ici pour le clin
d'œil, parce que miss Kathy est venue
me chercher dans la classe avant
que je me fasse prendre.

J'ai fait signer tous mes devoirs, la tête ne me pique pas donc je n'ai pas de **POUX**, ma température est normale. Je ne comprends pas.

— Mon petit Félix, finit-elle par prononcer d'une voix **chaleureuse**.

Elle a insisté sur l'adjectif « petit ».

— Miss Kathy, je suis rendu en sixième année, un des plus vieux de l'école.

— Oui, je sais. *Oh ! Lord !*

Elle laisse échapper ces derniers mots en anglais.

— Miss Kathy, pouvez-vous me dire **POURQUOI** vous m'avez amené dans votre bureau ?

— Félix, ta grand-mère…

Elle n'a pas le temps de terminer sa phrase que j'anticipe le pire.

— Non ! Mamie ! Il est arrivé malheur à mamie ?

BANG ! Ma grand-mère, que j'imaginais morte, entre dans le bureau. OUF ! Personne de mort !

Mais rapidement le **doute** s'installe : que fait-elle ici ?

Elle tend ses bras vers moi juste comme **Rosalie** arrive avec mes effets personnels. Pas question de montrer de l'affection à ma grand-mère devant **Rosalie** ! Elle est la plus gentille fille de ma classe. La plus jolie aussi selon Zack, Noah, Alexis, Édouard, Louis, Léo et… moi.

— Merci, **Rosalie**, j'aurais pu les apporter moi-même, tu sais ! Mais c'est fin.

— Est-ce que tu vas revenir ?

— Bien, je suppose que oui, personne ne veut me dire ce qui se passe.

Un silence s'étire. Des regards interrogatifs s'échangent entre ma grand-mère, miss Kathy, **Rosalie** et moi-même. Qui osera parler en premier ? Je ne tiens plus en place. J'ai envie de crier, mais **Rosalie** est là.

— Merci, **Rosalie**, tu peux retourner en classe maintenant, propose la secrétaire, brisant enfin ce silence empreint de malaise.

— Félix, c'est ton frère ! finit par dire ma grand-mère.

— Philippe ?

— Il a eu un **accident**. Ta mère et ton père sont à l'hôpital, c'est pour ça que je suis venue te chercher.

— Est-ce qu'il va bien ?

Ma grand-mère devient **blême**. Miss Kathy devient **verte**. Leurs réactions sont tellement ÉTRANGES et inquiétantes…

Je me fige comme une statue de plâtre en attendant la réponse.

— Philippe est mort…, lâche ma grand-mère.

Chapitre 3

Un défi mortel

Mon grand frère ne peut pas être mort. Il vient d'avoir dix-huit ans. Il est un adulte maintenant. Et le meilleur ATHLÈTE que je connaisse. Il remporte toutes les COURSES. Il bat des records. Il s'entraîne. Il est le plus FORT.

— Je veux rentrer chez moi ! Je veux être là quand Philippe reviendra.

— Ça ira, Félix, je suis là, répond mamie.

Le ton enfantin de ma grand-mère me CHOQUE.

Comment ose-t-elle m'annoncer une nouvelle aussi terrible et ensuite me dire que ça ira ? Je dois savoir la vérité ! Qu'est-ce qui est arrivé à mon frère ?

Mamie conduit tellement lentement ! Si ça continue, on va MOURIR de vieillesse tous les deux avant d'arriver à la maison. Elle ne comprend pas que je dois voir Philippe au plus vite ?

Je n'ose pas lui poser de questions. Les réponses me font peur. Le silence me protège tandis que j'attends la suite de cette histoire aux MAUVAIS présages.

Quand on tourne le coin de la rue, j'aperçois **notre maison**. Tout est comme d'habitude : le but de hockey désert, le panier de basketball accroché au garage et la rampe de planche à roulettes fabriquée par Philippe.

Ça me rassure. Mon frère sera là et

tout ira bien.

J'entre, à petits pas, dans notre maison *vide* et *froide*. Le SILENCE pèse sur mes épaules, je sens mes jambes fléchir. Combien de temps vais-je devoir attendre ? Mais, lorsque je vois la voiture de mes parents qui se gare dans l'entrée, mon **cœur** se met à battre plus vite. J'ai l'impression qu'il est sur le point d'**EXPLOSER** dans ma poitrine. J'utilise le minuscule espoir qu'il me reste et trouve le courage de foncer à l'extérieur de la maison.

En voyant ma mère en **larmes**, blottie dans les bras de mon père, je comprends que le malheur est vrai.

Mon frère Philippe est réellement parti. Pour ne plus revenir.

Je refuse d'y croire. Même après une semaine. Même en connaissant tous les détails de l'**accident**. Je refuse toujours d'y croire. Tout le monde sait que Philippe Tremblay est **MORT** en sautant par-dessus un mur de cinq mètres. Mes amis aussi le savent. Il n'y a que moi qui ne veux pas y croire.

EN BREF

Accident mortel d'un jeune homme de dix-huit ans lors d'une escapade nocturne.

Il aurait perdu pied en tentant d'escalader un mur et aurait chuté sur une clôture de fer forgé.

adepte de parkour urbain,

fin tragique !

décédé sur le coup !

défi lancé par son rival

Le jour des funérailles de Philippe, je dois rester debout pendant des heures à serrer la main à des gens que je ne CONNAIS pas et qui me prennent dans leurs bras en PLEURANT. C'est injuste : en plus d'être triste et en deuil, je dois subir ce défilé LARMOYANT.

Comme je m'apprête à feindre un coup de chaleur pour me sortir d'ici, j'aperçois mon entraîneur de baseball accompagné de toute notre équipe.

Ils sont tous venus, vêtus de

l'uniforme des PATRIOTES,

tenant leur casquette contre leur

cœur. Ils sont là… pour moi. Je ris

et je PLEURE en même temps.

Que se passe-t-il ? Je suis heureux

de voir mes coéquipiers, mais leur

arrivée me fait maintenant

PLEURER.

Zack, le bouffon de l'équipe,

vient à ma rescousse :

— T'es chanceux qu'on soit une

équipe de baseball et non de

natation. Imagines-tu nous voir arriver en petit maillot de bain avec un bonnet sur la tête en nous appelant « les Bélougas » ?

Zack a un don pour nous faire **rire** dans les situations les plus **dramatiques**. Je l'admire pour ça.

J'ai à peine le temps de sécher
mes LARMES que je reconnais,
parmi les nouveaux visiteurs,
miss Kathy, madame Geneviève,
Rosalie et toute ma classe de sixième.
Que font-ils ici un samedi ?

Entouré de ma famille
et de mes amis, je sens
maintenant que je peux
affronter la cérémonie
d'adieu.

CHAPITRE 4

LA VIE NORMALE !

Devant la porte de la chambre de mon frère, j'hésite. La main sur la poignée, je prends une grande inspiration et j'entre.

Même si ça fait dix jours qu'il est parti, son odeur flotte encore. Son *hoodie*, son chandail préféré, est déposé sur le dossier de la chaise et semble attendre patiemment le retour de son propriétaire.

Je l'appelle d'une voix faible :

— Philippe ?

Je l'entends presque me répondre : « **Quoi ! Sors de ma chambre !** » Évidemment, aucune autre voix que la mienne ne résonne…

Accroché au mur, le cerf-volant que nous avons fabriqué ensemble veille sur la pièce. Il est bleu comme le ciel, que mon frère aimait tant **regarder**. Nos initiales sont inscrites dessus : « F & P ». Nous étions alors plus que des frères :

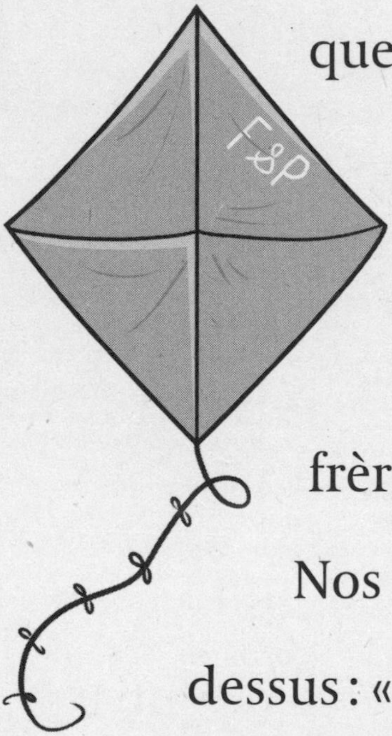

des complices, des **meilleurs amis**,
des superhéros !

Le fouillis habituel règne dans la pièce. Des dessins représentant des trajets de PARKOUR, des images de sauteurs et des esquisses de GRAFFITIS recouvrent son lit et son bureau. Toujours le même symbole : QAF. J'en ignore la signification.

Soudain, la colère m'envahit ! Je déteste ce SPORT, ce jeu de ninja de ville qui m'a enlevé mon frère !

J'attrape sa veste, la cache dans mon sac à dos, sors et referme la porte derrière moi. Si elle découvre que j'ai profané l'antre de son fils décédé, ma mère sera furieuse.

Coups de klaxon. Mon père s'impatiente. Je l'entends crier :

— **Félix ! On y va !**

— **Oui, oui, j'arrive !**

Je descends les escaliers à toute vitesse et claque la portière de la voiture, encore essoufflé.

— Ça te fera du **bien** de voir

tes amis et de reprendre une vie normale, tente de me rassurer mon père.

Je baisse la vitre et demeure **silencieux**. Je réfléchis. Je me demande si je vais me faire questionner. Comment dois-je réagir ? Me taire et **FAIRE SEMBLANT** que rien n'est arrivé ? J'aimerais tellement que rien ne soit arrivé.

On a beau m'encourager, je sais que **ma vie** ne sera plus jamais comme avant.

En apercevant l'entrée du secrétariat, je me sens BIZARRE et triste à la fois. Avant de descendre de la voiture, pour me donner du COURAGE, je serre mon sac à dos qui contient le précieux *hoodie* de mon frère.

Miss Kathy m'accueille avec un large sourire : « *Dear Félix !* » La directrice, madame Claire, fait aussi partie du comité d'accueil. À côté d'elle, mon enseignante, madame Geneviève, a la lèvre inférieure qui tremble, semblant retenir un **SANGLOT**.

(*J'aurais envie de répondre à mon père qu'il ne manque plus qu'une haie d'honneur, des trompettes et des applaudissements pour que tout soit... NORMAL!*)

En fait, tout ce qu'il y a de vrai dans le mot **normal**, c'est sa dernière syllabe : **mal** ! Oui, j'ai mal en dedans et je ne connais pas de remède contre cette douleur.

Je suis sauvé par la **cloche** qui retentit et donne le signal du début des classes. **C'est parti !**

Dans le corridor, les jeunes chuchotent sur mon passage. Je les ignore. Madame Josée, mon prof de quatrième année, qui surveille l'arrivée des élèves, m'arrête pour me **serrer** dans ses bras. Dans la classe, le **silence** absolu... (*Mais c'est qu'on baigne dans la normalité!*) Habituellement, les corridors et les classes sont un **ZOO** où règne une véritable cacophonie, et les enseignants évitent les élèves plutôt que de se jeter sur eux en **LARMES** !

Je fonce vers ma case en tentant de me fondre dans le décor. S'il y a une place dans cette école qui devrait être normale et intacte, c'est bien mon casier. **Erreur !** L'intérieur est tapissé de *petits messages* d'encouragement écrits par mes **amis** sur des papiers colorés. Mes joues s'enflamment instantanément. Il y en a même avec des cœurs ! Je suis touché par leur geste de solidarité, mais aussi gêné d'être l'objet de toutes ces attentions.

Je plonge la main dans mon sac et en ressors la veste de mon frère, espérant qu'elle viendra à ma rescousse. Elle risque de me servir plus que je ne le pensais.

POUR LIRE LA SUITE,
COURS
À LA LIBRAIRIE !

Dans la même série

Clara

« JE SAIS CE QUE VOUS AVEZ FAIT ! »

Qui a bien pu nous envoyer ce message anonyme ? Quelqu'un sait que nous avons menti… et je me sens vraiment coupable ! Tout ça à cause d'Alexis. Un vrai porte-malheur !

Au secours !! Où est ma sœur quand j'ai besoin d'elle ? Elle s'entraîne probablement pour la course de l'école…

J'ai hâte, moi aussi, mais j'appréhende l'obstacle du filet avec la méga flaque de boue digne d'un marécage. Comment le franchir sans salir mon nouveau kit et avoir l'air d'une crotte ?

— Hé, les jumelles ! Ce n'est pas un défilé de mode, se moque Alexis.

Grr ! Je déteste qu'on nous appelle « les jumelles » ! Moi, c'est Clara, la seule et unique, et je suis décidée à relever tous les défis !

Une aventure remplie de surprises, où l'honnêteté et l'amitié triomphent !

Lenny

Jupiter ! Une course à obstacles à la fin de l'année ? Tu y participerais, toi ?

Avec Alexis qui est toujours sur mon dos à m'appeler « Le-nerd », c'est certain que je vais terminer ma sixième année dans la pire des humiliations.

Notes à moi-même :

- Ne pas oublier d'avoir mal au ventre cette journée-là.
- Mettre la pointe du thermomètre dans l'eau chaude, mais pas trop longtemps : ma mère sait qu'on meurt si la température du corps dépasse quarante-deux degrés et des poussières.

Heureusement qu'il y a Alice et Albert, le mystérieux concierge, pour rendre mon année plus supportable.

Attention ! Je m'appelle LENNY, le garçon qui possède une carte secrète dans son jeu. Et ce n'est pas le joker !

Une histoire pleine d'humour, de sensibilité et d'intelligence !

Félix

Pendant que tout le monde s'emballe pour la fameuse course à obstacles de fin d'année, j'ai plus d'un mystère à résoudre :

- Pourquoi m'emmène-t-on au bureau de miss Kathy, la secrétaire ?
- Quel est ce drôle de tatouage à sa cheville ?
- Que fait grand-maman à l'école ?

Il se passe quelque chose d'important et je veux connaître la vérité. Tu ferais pareil, non ?

Dans mes recherches, j'ai plein d'alliés :

- Rosalie me réserve une surprise qui a du mordant.
- Miss Kathy cache un secret (pour me protéger ?).
- Mes parents sont un modèle de force de caractère.

Ensemble, ils m'apprennent que c'est en équipe qu'on réussit à surmonter toutes les épreuves.

Un roman plein de mystères, de sports et de dépassement de soi !

Adèle

Une course à obstacles ? FACILE ! Je la finis les deux doigts dans le nez ! Normal, j'en fais plein avec ma mère.

En attendant, je me prends pour Sherlock Holmes. Oui ! Oui ! Le fameux détective. En plus, ma *BFF* (alias Watson) m'aide. Notre mission : retrouver mon père.

Pour y arriver, tous les moyens sont bons… Comme :

- diffuser des capsules vidéo sur ma chaîne YouTube ;
- profiter de l'Halloween pour échapper quelques heures à ma mère ;
- faire du chantage (pas beaucoup) au grand frère de Rosalie ;
- manipuler (à peine) mon prof d'éduc.

Malgré ma détermination, une petite voix fatigante (celle d'une sorcière !) me fait sentir HYPER coupable ! J'en fais même des cauchemars ! Comment va réagir maman si je réussis mon enquête ? J'ai peur, mais je fonce !

Un récit touchant où se côtoient entraide, débrouillardise et persévérance !

À PARAÎTRE

À PARAÎTRE

DÉCOUVREZ
LES
COLLECTIONS
SUMO
Mini
SUMO

C'est quoi ?

Par définition, un sumo est dodu… tout comme ces romans ! La mise en page rigolote et les gros caractères plairont à tous les types de lecteurs.

Ces histoires amusantes et captivantes sont aussi très enrichissantes. Plusieurs thèmes intéressants à discuter y sont abordés, comme :

- **L'estime de soi**
- **Les réseaux sociaux**
- **Le deuil**
- **L'amitié**
- **L'intimidation**

C'est pour qui ?

Les collections *Sumo* et *Mini Sumo* s'adressent à des jeunes qui veulent lire des gros livres... comme maman et papa ! La mise en page aérée leur permet de tourner les pages rapidement. Ils sont des héros de la lecture !

Collection ***Mini Sumo*** : à partir de ***7 ans***.

Collection ***Sumo*** : à partir de ***9 ans***.

Hé, les profs!

Saviez-vous que la plupart des titres de ces collections proposent des activités pédagogiques à réaliser avec vos élèves ? Elles couvrent plusieurs matières :

Les fiches pédagogiques sont offertes gratuitement sur le site editionsdemortagne.com

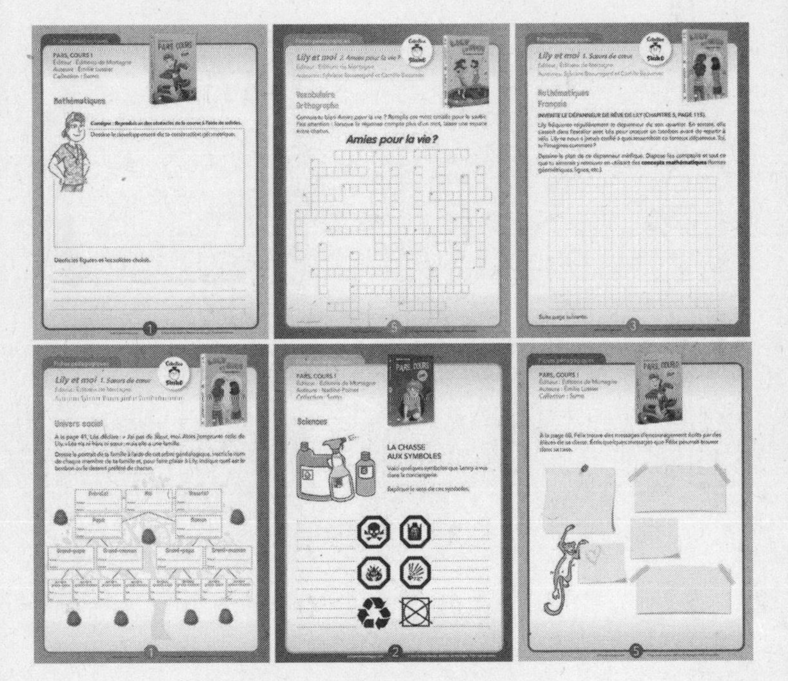